CROCKETT

Nofelau Bob Eynon
o Wasg y Dref Wen

I BOB OEDRAN

Ffug-wyddonol
Y Blaned Ddur

Antur a Rhamant (gyda geirfa)
Y Ferch o Berlin *
Y Bradwr *
Bedd y Dyn Gwyn *

Gorllewin Gwyllt (gyda geirfa)
Y Gŵr o Phoenix *

Dirgelwch: Cyfres Debra Craig (gyda geirfa)
Perygl yn Sbaen
Y Giangster Coll
Marwolaeth heb Ddagrau

I BOBL IFANC

(gyda lluniau du-a-gwyn)
Crockett yn Achub y Dydd
Trip yr Ysgol
Yn Nwylo Terfysgwyr
Castell Draciwla
Arian am Ddim

* *hefyd ar gael ar gasét yng nghyfres*
LLYFRAU LLAFAR Y DREF WEN

BOB EYNON

CROCKETT

YN ACHUB Y DYDD

DREF WEN

Argraffiad cyntaf 1995

Cyhoeddwyd dan gynllun comisiynu'r
Cyngor Llyfrau Cymraeg.

Llun y clawr a lluniau eraill gan Roger Jones

Cyhoeddwyd gan Wasg y Dref Wen,
28 Ffordd yr Eglwys, Yr Eglwys Newydd,
Caerdydd CF4 2EA
Ffôn 01222 617860.

Argraffwyd ym Mhrydain.

Dymuna'r cyhoeddwyr gydnabod cymorth
Adrannau'r Cyngor Llyfrau Cymraeg.

I Cyril a Nan Llewelyn
am eu cymorth a'u cefnogaeth

1.

"Diolch, Mr Prothero," meddai Mr James y Prifathro. "Wnewch chi fynd i ystafell yr athrawon ac aros yno, os gwelwch chi'n dda? Fe fyddwn ni'n eich galw chi'n ôl ymhen pum neu ddeng munud."

Cododd Mr Prothero ar ei draed. Dyn tal, tenau oedd e, ac roedd ei sbectol drwchus yn edrych yn rhy drwm i'w drwyn hir. Aeth allan o swyddfa'r Prifathro ac ar hyd coridor oedd yn llawn posteri lliwgar. Dydd Sadwrn oedd hi ac roedd yr ystafelloedd yn wag a distaw. Trodd i mewn i ystafell yr athrawon ac eisteddodd ar gadair bren wrth fwrdd mawr yn y canol.

Roedd Mr Prothero wedi gweld yr hysbyseb am athro yn y papur newydd. Ar ôl treulio pum mlynedd mewn ysgol gyfun enfawr yn Llundain roedd e'n awyddus iawn i ddod yn ôl i Gymru, a dyma fe yng Nghwm Alaw.

Cododd gopi o'r *Times Educational Supplement* ond doedd e ddim yn gallu canolbwyntio ar yr erthyglau o gwbl. Doedd y cyfweliad ddim wedi mynd yn dda. Fydden nhw ddim yn cynnig y swydd iddo fe. Roedd e wedi colli'r cyfle i ddod yn ôl i Gymru...

Edrychodd Cyrnol Harri Meredith ar y Prifathro, Mr James, a'r ddirprwy brifathrawes, Mrs Hunt. Cadeirydd y llywodraethwyr oedd Cyrnol Meredith ac roedd ganddo fwstás hir, trwchus a thymer ddrwg iawn.

"Wel," meddai. "Beth ydych chi'n feddwl ohono fe?"

Edrychodd Mr James ar ei nodiadau. Roedd e wedi bod yn ysgrifennu trwy'r cyfweliad.

"Mae Mr Prothero yn eitha swil," meddai'r Prifathro, "a dydy ei lais e ddim yn gryf iawn."

"Ddim yn gryf iawn!" meddai'r Cyrnol yn wawdlyd. "Doeddwn i ddim yn gallu ei glywed e o gwbl. Roedd e'n rhy nerfus i agor ei geg!"

Ceisiodd Mrs Hunt ddweud rhywbeth ond roedd Cyrnol Meredith yn dal i siarad.

"Mae'n well inni anfon y dyn 'na i ffwrdd a chwilio am rywun arall," meddai.

"Ond does 'na neb arall," protestiodd y Prifathro. "Dim ond Mr Prothero sy wedi dod heddiw."

"Wel, rhowch hysbyseb arall yn y papurau newydd," meddai'r Cyrnol.

"Does dim amser," atebodd Mr James. "Mae gwyliau'r Pasg yn dechrau'r wythnos nesaf. Rydyn ni eisiau rhywun ar gyfer y tymor newydd."

Trodd at ei ddirprwy.

"Beth ydy'ch barn chi, Mrs Hunt?" gofynnodd. "Fydd Mr Prothero'n gallu rheoli plant y dosbarth uchaf?"

Ystyriodd Mrs Hunt am ychydig. Gwraig ganol oed oedd hi ac roedd hi wedi gweithio gyda llawer o athrawon ac athrawesau.

"Roedd Mr Prothero'n trafod plant mawr yn yr ysgol gyfun," meddai hi. "Dim ond ysgol gynradd ydy'r ysgol 'ma. Fe fydd e'n gyfrifol am blant deg ac un ar ddeg oed yn y dosbarth uchaf. Rwy'n..."

"Atebwch y cwestiwn!" meddai Cyrnol Meredith yn grac. "Fydd y dyn yna yn gallu rheoli'r plant?"

"Bydd," atebodd Mrs Hunt. "Mae personoliaeth

ddymunol 'da Mr Prothero. Rwy'n siŵr y bydd y plant yn ei hoffi – ac yn ei barchu e hefyd."

Siglodd y Cyrnol ei ben. Doedd e ddim yn cytuno o gwbl. Edrychodd y Prifathro ar ei wats. Roedd deng munud wedi mynd heibio'n barod. A dweud y gwir roedd Mr James yn cytuno â barn Mrs Hunt ond doedd e ddim eisiau dweud gormod gan fod ofn y Cyrnol arno fe!

"Beth am inni gynnig y swydd iddo fe am y tymor nesa'n unig?" meddai Mr James yn sydyn.

Trodd at ei ddirprwy-brifathrawes. Roedd Mrs Hunt yn gwenu'n hapus.

"Dyna syniad da," meddai hi. "Yna, os bydd Mr Prothero yn athro da..."

Cododd Cyrnol Meredith ar ei draed yn swnllyd.

"Yna fe fyddwn ni'n rhoi hysbyseb newydd yn y papurau," meddai â gwên fach oeraidd. "Achos rydw i'n siŵr nad yw'r dyn yna'n ffit i ddysgu plant Cwm Alaw."

2.

Gan fod ei ddyfodol yn yr ysgol yn ansicr, penderfynodd Mr Prothero rentu yn hytrach na phrynu tŷ yn y cwm. Ar ddechrau'r gwyliau llwyddodd i gael hyd i fwthyn bach y tu allan i bentref Gilfach ar ben Cwm Alaw a thua milltir o'r ysgol.

Roedd safle'r bwthyn yn hyfryd; roedd nant glir yn llifo ar waelod yr ardd ac roedd ffenestr y lolfa yn wynebu caeau a choed tywyll ar lethrau'r mynyddoedd.

Roedd tŷ arall yn yr un heol; tŷ John a Nita Jones. Roedd John Jones yn gweithio i ffwrdd ar faes olew ym Môr y Gogledd, ac roedd ei wraig Nita'n gweithio yng Nghwm Alaw fel nyrs gymuned.

Roedd gan John a Nita Jones dri phlentyn – Rhiannon ac Alun, efeilliaid un ar ddeg oed, a Cefyn, wyth oed. Roedd rhai o bobl y pentref yn dweud bod y tri phlentyn yn rhedeg yn wyllt gan fod eu tad i ffwrdd mor aml, ond doedd hynny ddim yn deg. Roedd y tri ohonyn nhw'n helpu eu mam yn y tŷ, ond ar ôl gorffen y gwaith tŷ roedden nhw'n mwynhau crwydro'r ardal yn chwilio am anturiaethau.

Pan symudodd y dieithryn i mewn i'r bwthyn gwag ar ben arall yr heol sylweddolodd Rhiannon, Alun a Cefyn eu bod nhw wedi colli rhan o'u "hymerodraeth". Nid bwthyn gwag oedd e iddyn nhw ond castell cawr, tŷ bwganod neu garchar lle'r oedd yr Heddlu Cudd yn cadw eu gelynion dan glo mewn celloedd tanddaearol. Weithiau byddai'r plant yn mynd i mewn i ardd y bwthyn gyda'r nos ac yn edrych trwy'r ffenestri gan ddychmygu bod pob math o bethau'n digwydd yng nghysgodion yr ystafelloedd tywyll.

Ond chwarae teg, roedd perchennog newydd y bwthyn yn berson diddorol hefyd.

"Mae e'n edrych fel corryn," meddai Cefyn wrth yr efeilliaid.

"Neu ddyn o blaned arall," ychwanegodd Rhiannon, "lle mae pobl yn tyfu a thyfu heb ennill unrhyw bwysau."

Roedd Mr Prothero'n gyrru hen Ffordyn. Bob tro roedd

e'n tanio'r peiriant digwyddai ffrwydrad mawr a byddai cwmwl o fwg glas yn dod allan o'r biben fwg. Yna byddai Alun yn gweiddi "YMLAEN!" a byddai'r tri phlentyn yn rhedeg ar draws yr heol gan ddychmygu bod milwyr yn saethu ac yn taflu bomiau atyn nhw. Roedd y mwg glas yn gwneud iddyn nhw besychu a chwerthin ar yr un pryd, a chyn bo hir roedd eu mam yn cwyno bod arogl rhyfedd ar eu dillad. Felly bu'n rhaid iddyn nhw roi'r gorau i chwarae'r gêm yna.

Roedd Mr Prothero'n hoffi garddio ac roedd e'n treulio pob bore o'r gwyliau yn troi'r tir y tu ôl i'r bwthyn. Am un o'r gloch roedd e'n gyrru'r Ford i gyfeiriad y pentref i gael pryd o fwyd yn y dafarn leol. A dweud y gwir roedd Mr Prothero'n hoffi cerdded ond petai e ddim yn defnyddio'r hen gar o leiaf unwaith y dydd byddai'r batri'n mynd yn fflat.

Tra oedd y car yn symud i ffwrdd byddai Alun, Rhiannon a Cefyn yn croesi'r heol dan orchudd y cwmwl o fwg glas ac yn mynd i ardd y bwthyn. Yna bydden nhw'n palu'r ardd eto er mwyn bod yn siŵr nad oedd y dieithryn wedi claddu trysor yno.

Pan âi Mr Prothero am dro yn y prynhawn, byddai weithiau'n cael cipolwg ar y plant yn y pellter. Roedd e'n amau eu bod nhw'n ei ddilyn e, ond doedd e ddim yn gwybod pam. Fwy nag unwaith trodd ei ben yn gyflym a gweld ffigur bach yn diflannu y tu ôl i goeden neu berth.

"Mae e'n gwybod ein bod ni'n ei ddilyn e," meddai Rhiannon wrth ei brodyr.

"Ydy," cytunodd Alun. "Dydy e ddim mor dwp ag mae e'n edrych."

"Sbïwr yw e," meddai Cefyn yn gyffrous. "Mae e'n chwilio am le da i barasiwtwyr lanio."

"Wel gad iddyn nhw lanio," meddai ei frawd yn ddewr. "Fe fyddwn ni'n barod amdanyn nhw."

Cododd ddarn o bren oddi ar y llawr a rhuthro i mewn i'r coed i ymosod ar elynion dychmygol. Rhedodd Cefyn a Rhiannon ar ei ôl gan weiddi. Yn anffodus, cyn iddyn nhw ddod o hyd i'r gelynion fe syrthiodd Cefyn i ganol clwmp o ddanadl poethion ac roedd rhaid i'r efeilliaid fynd ag ef adref er mwyn i'w mam roi eli ar ei groen dolurus.

Bob dydd gwelai Mr Prothero'r plant yn ei ardd, mewn ffosydd ar hyd y ffordd, yn cuddio y tu ôl i berthi, neu'n hongian o ganghennau uchaf y coed.

Yna, un prynhawn, siaradodd â'r plant am y tro cyntaf.

Y bore hwnnw roedd Mr Prothero wedi mynd i Dref Alaw i brynu trwydded bysgota. Wedyn, ar ôl cael ei ginio arferol yn nhafarn y pentref, aeth i lawr at yr afon gan gario gwialen bysgota hir yn ei law. Aeth o bwll i bwll am o leiaf awr heb ddal dim byd.

Yna aeth o gwmpas tro yn yr afon a sylweddolodd pam nad oedd e wedi bod yn llwyddiannus. Roedd Alun a Cefyn wedi tynnu eu sgidiau a sanau ac roedden nhw'n sefyll yng nghanol yr afon gan oglais brithyllod dan y cerrig. Roedd eu chwaer Rhiannon yn eistedd ar y lan ac roedd tri physgodyn yn gorwedd ar y glaswellt wrth ei hochr.

Syllodd Mr Prothero ar y pysgod, ac yna ar y ferch.

"Oes trwydded bysgota 'da chi?" gofynnodd yn grac.

Siglodd Rhiannon ei phen.

"Nac oes," meddai hi. "Rydyn ni'n byw yma. Ond mae croeso ichi rannu'r pysgod 'ma 'da ni."

Taflodd Mr Prothero ei wialen bysgota ar y glaswellt ac aeth i eistedd wrth ochr y ferch. Roedd e'n teimlo'n flinedig ar ôl cerdded o bwll i bwll heb lwyddiant. Daeth y ddau fachgen allan o'r afon.

Tybed fydd e'n siarad wrth Dai y plismon? meddyliodd Alun tra oedd e'n sychu ei draed â'i hances.

Ond roedd Mr Prothero wedi anghofio'r cwbl yn barod. Tynnodd becyn o'i boced.

"Ydych chi'n hoffi siocled?" gofynnodd. "Os ydw i'n

mynd i rannu eich pysgod chi, mae'n rhaid i chi rannu fy siocled i."

3.

Ar ôl i Mr Prothero rannu ei siocled gyda nhw, newidiodd agwedd y plant tuag eto. Nid dieithryn oedd e nawr, ond cymydog a ffrind.

Dros y penwythnos fe wnaeth Mrs Jones darten i'w theulu ac aeth Rhiannon â thafell ohoni draw i fwthyn eu cymydog. Yna, un prynhawn, tra oedd Mr Prothero yn eistedd ar deras tafarn y pentref, gwelodd Mrs Jones a'r plant yn cerdded heibio a'u gwahodd i ymuno ag ef am wydraid o lemonêd.

Roedd Mrs Jones yn meddwl bod Mr Prothero wedi dod i'r pentref ar wyliau.

"Mae e'n denau iawn," meddai hi wrth y plant. "Falle'i fod e'n ceisio gwella ar ôl salwch difrifol. Peidiwch â gofyn gormod o gwestiynau iddo fe; mae'n ymddangos yn swil iawn."

Doedd Mr Prothero ddim yn sâl o gwbl. Roedd pob aelod o'i deulu yn dal a thenau ac roedden nhw i gyd yn iach. Ond roedd Mr Prothero yn swil a doedd e ddim yn hoffi siarad amdano'i hun o gwbl.

Felly aeth Alun, Rhiannon a Cefyn yn ôl i'r ysgol gynradd ar ddiwedd gwyliau'r Pasg heb wybod llawer am eu cymydog. Ar fore cyntaf y tymor newydd roedd y tri yn sefyll wrth arhosfan bws y pentref pan ddaeth hen

Ffordyn Mr Prothero heibio gan fygu a phesychu.

Arhosodd y car o'u blaenau ac agorodd Mr Prothero y drws – doedd y ffenestr ddim yn gweithio.

"Hoffech chi gael lifft?" gofynnodd.

Heb betruso neidiodd y tri phlentyn i mewn i'r car.

"Rydyn ni'n mynd i'r ysgol gynradd yn Nhref Alaw," meddai Alun gan eistedd yn y sedd flaen. "Ydych chi'n gwybod y ffordd?"

"Ydw," atebodd Mr Prothero. "Rho glep i'r drws. Wnaiff e ddim cau fel arall!"

Pan gyrhaeddon nhw'r ysgol diolchodd y plant i Mr Prothero ac yna aethon nhw drwy'r glwyd ac ar draws yr iard, lle'r oedd tyrfa o blant yn disgwyl i ddrws yr ysgol agor.

Edrychodd Rhiannon yn ôl a gwelodd Mr Prothero'n tynnu bag allan o gefn ei gar.

"Mae car Mr Prothero wedi torri i lawr," meddai hi wrth ei brodyr. "Mae e'n mynd i adael y car o flaen yr ysgol."

Cododd Alun ei ysgwyddau.

"Fe allen ni wthio'r car iddo fe," meddai, "ond yn anffodus does dim amser 'da ni."

Canodd y gloch tra oedd e'n siarad ac roedd rhaid iddyn nhw fynd i mewn i'r ysgol.

Roedd y plant i gyd yn ymgynnull yn y neuadd fawr ar fore cyntaf pob tymor. Dychmygwch syndod Rhiannon, Alun a Cefyn, felly, pan aethon nhw i mewn i'r neuadd bum munud yn ddiweddarach a gweld yr athrawon yn eistedd mewn rhes ar y llwyfan – a Mr Prothero yn eu canol, yn eistedd wrth ochr Mrs Hunt, y ddirprwy-brifathrawes! Yna daeth Mr James y Prifathro i'r llwyfan a chroesawu'r plant yn ôl i'r ysgol ar ôl gwyliau'r Pasg.

"Gobeithio eich bod i gyd yn awyddus i ddechrau tymor newydd," ebe Mr James dan wenu ac ochneidiodd pob plentyn yn swnllyd.

Aeth y Prifathro yn ei flaen.

"Mae gen i ddau ddarn o newyddion ichi," meddai. "Yn gyntaf, dyma athro newydd y dosbarth uchaf. Wnewch chi godi am foment, Mr Prothero?"

Cochodd yr athro newydd, a chododd ar ei draed. Doedd y plant ddim yn gallu credu pa mor dal a thenau oedd e. Dechreuodd y bachgen wrth ochr Rhiannon chwerthin ond pinsiodd y ferch ei fraich yn galed.

"Ooo..."

Peidiodd y bachgen â chwerthin. Yn y cyfamser roedd Mr Prothero wedi eistedd eto.

"A dyma'r ail beth," meddai Mr James. "Ydych chi wedi clywed am ferch fach o'r enw Jennifer Edwards?"

Siglodd y plant eu pennau.

"Wel, mae Jennifer Edwards yn byw mewn pentref bach ar waelod Cwm Alaw," esboniodd y Prifathro. "Mae hi wedi bod yn sâl iawn. Y llynedd roedd hi bron â marw, ond nawr mae gobaith y bydd hi'n gallu cael triniaeth yn America a gwella'n llwyr."

Erbyn hyn roedd y plant i gyd yn gwrando ar bob gair.

"Yn anffodus, mae'r driniaeth yn gostus iawn," meddai Mr James. "Fe fydd rhaid i deulu Jennifer godi trigain mil o bunnau er mwyn achub ei bywyd hi."

Dechreuodd pob plentyn siarad ar yr un pryd. Chwe deg mil – ffortiwn! Tapiodd Mr James ar y bwrdd ac aeth pawb yn ddistaw.

"Mae'r eglwysi, y capeli, y tafarnau a'r clybiau wedi penderfynu codi arian i helpu Jennifer Edwards," meddai. "Wel, mae tymor cyfan o'n blaenau ni yma yn Ysgol Gynradd Cwm Alaw. Ydych chi'n barod i helpu i achub bywyd Jennifer?"

Edrychodd y Prifathro ar y plant o'i flaen. Roedd pen pob un yn nodio…

4.

Ar ôl y sioc o'u cael eu hunain yn nosbarth yr athro newydd, penderfynodd Alun a Rhiannon beidio â manteisio ar y sefyllfa.

"Chwarae teg," meddai Alun wrth ei chwaer. "Yn y pentref mae Mr Prothero yn ffrind inni, ond mae'n rhaid inni gofio ei fod e'n athro hefyd."

Fel arfer roedd yr efeilliaid yn siaradus yn y dosbarth, ond synnodd eu ffrindiau eu gweld nhw mor dawel yn nosbarth yr athro newydd.

Roedd Mr Prothero yn athro da. Roedd e'n gwybod tipyn am bopeth ac roedd e'n adrodd storïau difyr am ei fywyd yn yr ysgol gyfun yn Llundain. Fe oedd yr unig ddyn ar staff Ysgol Gynradd Cwm Alaw, ac eithrio'r Prifathro Mr James, ac felly roedd e'n gyfrifol am ymarfer corff a chwaraeon y bechgyn.

Roedd Mr Prothero'n edrych yn od ar y cae â'i goesau a'i freichiau hir ond roedd e'n frwdfrydig iawn ac roedd e'n rhedeg am oriau heb flino. Er gwaethaf ei frwdfrydedd, roedd e'n lletchwith pan fyddai pêl wrth ei draed. Byddai'n llithro a chwympo'n aml, ond roedd hynny'n ychwanegu at fwynhad y chwaraewyr eraill!

Roedd Mr Prothero'n boblogaidd yn ystafell yr athrawon hefyd. Roedd yr athrawesau'n cystadlu â'i gilydd i wneud coffi iddo yn ystod y toriad ac un bore fe ddaeth Mrs Hunt â theisen iddo.

"Mae'n rhaid ichi ennill pwysau, Mr Prothero. Rydyn ni i gyd yn poeni amdanoch chi," meddai hi, a gwenodd yr athro newydd yn swil.

"Diolch ichi, Mrs Hunt," atebodd. "Ond peidiwch â phoeni gormod. Mae fy nheulu i gyd yn denau fel fi."

"Wel, fe fydd rhaid inni anfon parsel bwyd atyn nhw," chwarddodd Mrs Hunt. "Fe wnaiff yr ysgol gasgliad iddyn nhw."

Yna, un prynhawn, daeth Cyrnol Harri Meredith, cadeirydd y llywodraethwyr, i'r ysgol. Aeth i ystafell yr athrawon yn ystod y toriad i siarad am y ferch fach, Jennifer Edwards, oedd yn gobeithio cael triniaeth yn America. Roedd Cyrnol Meredith yn gwisgo dillad milwrol gan ei fod ar ei ffordd i gyfarfod yng ngwersyll y cadlanciau. Dyn cryf, cadarn oedd y Cyrnol; roedd e yn ei bumdegau, ond roedd e'n cadw'n heini trwy loncian ar hyd ffyrdd serth y cwm.

"Peidiwch â chodi," gwaeddodd wrth iddo ddod trwy'r drws, ac edrychodd pawb arno fe'n syn.

Roedd y Cyrnol yn cario bwndel o bapurau yn ei law.

"Fel cadeirydd y llywodraethwyr," meddai, "rydw i wedi ysgrifennu rhai syniadau am y ffordd orau i'r ysgol godi arian i'r ferch 'na, Jacqueline Evans."

"Jennifer Edwards," meddai Mrs Hunt yn dawel, ond ni chymerodd y Cyrnol sylw ohoni.

"Fe fydd rhaid i chi, yr athrawesau..." meddai Cyrnol Meredith. Yna sylweddolodd fod dyn yn yr ystafell hefyd. "A chi, Mr..."

"Prothero," meddai Mr Prothero.

"Ie. Wel, fe fydd rhaid i chi i gyd drefnu'r plant a chyfeirio eu brwdfrydedd nhw a..."

Aeth ymlaen i sôn am dactegau a gweithgareddau fel petai plant yr ysgol yn mynd i ryfel. Taflodd y bwndel papurau ar y bwrdd o flaen yr athrawon.

"Dyma rai o'm syniadau," meddai. "Mae llawer rhagor 'da fi hefyd."

Edrychodd y Cyrnol o gwmpas yr ystafell.

"Mae'r ystafell 'ma yn daclus iawn," meddai. "Rwy'n hoffi pobl daclus. Llongyfarchiadau!"

Trodd yn sydyn a cherdded at y drws. Yn anffodus, sylwodd e ddim ar goesau hir Mr Prothero oedd yn estyn allan o dan y bwrdd. Y foment nesaf teimlodd Cyrnol Meredith ei hun yn cwympo ac estynnodd am y peth agosaf – silff oedd yn llawn o lyfrau a phapurau.

Efallai y byddai'r silff wedi dal pwysau Mr Prothero, ond roedd llawer o gnawd ar esgyrn y Cyrnol. Syrthiodd yn drwm i'r llawr a daeth hanner tunnell o lyfrau i lawr ar ei ben e.

Roedd rhaid i Mrs Hunt a'r lleill balu trwy'r llyfrau er mwyn rhyddhau'r Cyrnol a'i godi ar ei draed.

"Ydych chi'n iawn, Cyrnol Meredith?" gofynnodd y ddirprwy-brifathrawes. Roedd rhaid i Mrs Hunt wneud ymdrech fawr i beidio â chwerthin.

Syllodd y Cyrnol ar Mr Prothero. Erbyn hyn roedd yr athro wedi symud ei goesau hir. Roedd wyneb y Cyrnol yn goch a chrac. Doedd e ddim yn gallu profi dim byd ond roedd yn siŵr mai'r dyn lletchwith 'na oedd wedi achosi'r holl drafferth.

"Beth ydy'ch enw chi eto?" gofynnodd Cyrnol Meredith.

"Prothero."

"Prothero," meddai'r Cyrnol yn oeraidd. "Fe gofia i'r enw 'na..."

5.

"Pan mae Cyrnol Meredith yn sôn am ei *syniadau,*" meddai Mrs Hunt wrth yr athrawon eraill, "mae e'n golygu ei *orchmynion.* Dyna pam y bydd rhaid inni ystyried ei syniadau'n ofalus iawn."

Erbyn diwedd yr wythnos roedd Mr Prothero wedi derbyn ei dasg gyntaf yn yr ymdrech i godi arian. Roedd e'n marcio llyfrau yn yr ystafell athrawon pan ddaeth ysgrifenyddes yr ysgol i mewn a dweud bod y Prifathro eisiau cael gair ag e. Cododd Mr Prothero ar unwaith a dilynodd yr ysgrifenyddes i swyddfa'r Prifathro.

"O, Mr Prothero," meddai Mr James gan edrych i fyny o'i ddesg. "Dewch i mewn. Ydych chi wedi cael coffi?"

"Ydw, diolch, Mr James."

Aeth yr athro i mewn i'r swyddfa a chaeodd y drws y tu ôl iddo.

"Eisteddwch i lawr," meddai'r Prifathro ac eisteddodd Mr Prothero mewn cadair freichiau gyffyrddus o flaen desg Mr James.

"Ydych chi'n rhydd y penwythnos 'ma?" gofynnodd y Prifathro'n sydyn.

"Ydw."

"Dydych chi ddim yn mynd i ffwrdd?"

"Nac ydw. Pam?"

Taniodd Mr James ei bib.

"Mae Cyrnol Harri Meredith wedi addo rhoi arian i apêl Jennifer Edwards os bydd rhywun o'r ysgol 'ma yn glanhau ei gar e. O, mae e'n sôn am jobyn peintio yn ei dŷ hefyd, ond dyw e ddim wedi rhoi'r manylion yn ei lythyr."

"Cyrnol Meredith...?"

Sylwodd y Prifathro nad oedd Mr Prothero'n edrych yn hapus o gwbl.

"Edrychwch, Mr Prothero," meddai. "Os ydych chi am aros yn yr ysgol 'ma, fe fydd rhaid ichi wneud argraff dda ar bobl bwysig fel y Cyrnol. Ewch â grŵp bach o blant i'w dŷ e. Dw i'n siŵr y bydd popeth yn mynd yn iawn."

Felly, ar brynhawn dydd Sadwrn aeth Mr Prothero â Rhiannon, Alun a Cefyn Jones yn ei hen Ford i dŷ

Cyrnol Meredith yn Nhref Alaw. Roedd y Cyrnol yn byw mewn tŷ mawr gwyn ar ben bryn a chanddo olygfa hyfryd o'r cwm islaw.

Pan gyrhaeddodd y grŵp bach y tŷ doedd neb i mewn. Roedd Mrs Meredith wedi penderfynu mynd i siopa yn archfarchnad y dref ac roedd hi wedi gofyn i'w gŵr fynd gyda hi.

"Ond rydw i'n disgwyl i blant yr ysgol ddod y prynhawn 'ma i lanhau'r Mercedes a pheintio'r sièd y tu ôl i'r tŷ," protestiodd y Cyrnol.

"O, paid â bod mor boenus, Harri," atebodd ei wraig yn llym. "Dydw i ddim yn mynd i gario'r siopa i gyd ar fy mhen fy hunan. Gad neges iddyn nhw. Maen nhw'n gallu darllen, on'd ydyn nhw?"

Felly roedd Cyrnol Meredith wedi gadael y neges hon ar ffenestr flaen y Mercedes cyn mynd i siopa yn y dref yn ail gar y teulu, Mini Clubman:

"Glanhewch y Mercedes yn ofalus. Peintiwch y sièd y tu ôl i'r tŷ. Mae tun o baent wrth ddrws cefn y tŷ."

Edrychodd y Cyrnol ar y Mercedes a gwenodd yn hapus. Roedd e wedi tynnu to'r car i lawr gan fod y tywydd yn braf. Roedd yn falch iawn o'i Mercedes coch; roedd e wedi costio ffortiwn iddo.

"Brysia, Harri, brysia," meddai'i wraig tra oedd e'n rhoi'r neges y tu ôl i un o'r breichiau sychu.

Eisteddodd Cyrnol Meredith yn y Mini Clubman wrth ochr ei wraig.

"Mae'n rhaid i fi fod yn ôl yma erbyn pedwar o'r gloch," meddai wrthi. "Dyna pryd mae'r ffermwr yn dod â gwrtaith i'r ardd..."

6.

Gwelodd Mr Prothero arwydd mawr ar wal y tŷ: CYRNOL H. MEREDITH, MBE, YH.

Parciodd yr hen Ford o flaen y glwyd haearn.

"Reit," meddai wrth y plant. "Dyma'r tŷ. Dechreuwch ar y gwaith!"

Allan â nhw o'r car a dilyn yr athro trwy'r glwyd ac i ardd fawr hyfryd. Roedd ffordd goncrit yn rhedeg o gwmpas yr ardd ac roedd pob teras yn llawn o wahanol blanhigion.

"O, mae'n fendigedig," meddai Rhiannon.

"Ydy," cytunodd Mr Prothero, ond doedd e ddim yn siarad am yr ardd. Roedd e'n syllu ar y Mercedes coch. Doedd Mr Prothero erioed wedi bod yn berchen ar gar drud fel yna.

"Breuddwyd yw e," sibrydodd e gan gerdded yn araf at y car.

Ond roedd Cefyn wedi cyrraedd y Mercedes o'i flaen.

"Mae'n rhaid inni godi'r breichiau sychu cyn golchi'r ffenest flaen," gwaeddodd. "Dyna beth mae Dad yn ei wneud pan mae e'n golchi car Mam."

Cododd y fraich sychu agosaf heb sylwi ar y darn papur roedd Cyrnol Meredith wedi'i adael yno. Syrthiodd y neges i'r ddaear a diflannu o dan y car.

"Mae Cyrnol Meredith wedi gadael bwced inni,"

meddai Rhiannon. "A dyna bibell ddŵr ger y wal."

"Golcha di a Cefyn y car," meddai ei brawd Alun wrthi fel petai e'n rhedeg y sioe. "Fe helpa i Mr Prothero i beintio. Fe fydd rhaid i rywun ddringo ysgol, siŵr o fod, ac rwy'n hoffi dringo."

Aeth Mr Prothero at ddrws ffrynt y tŷ a chanu'r gloch. Arhosodd e'n barchus am hanner munud, yna canodd hi eto. Doedd dim ateb.

"Rwy'n mynd i chwilio am y paent," meddai Alun.

"Iawn," atebodd Mr Prothero, ond roedd ei feddyliau i gyd ar y Mercedes coch.

Mae e'n edrych yn brydferth iawn fel yna, heb y to, meddyliodd yr athro. Ac mae'r seddau'n rhai lledr, nid plastig fel yn y Ford!

Yn sydyn agorodd Rhiannon ddrws y car ac aeth i eistedd yn y sedd flaen.

"Rhiannon..." rhybuddiodd Mr Prothero, ond yn rhy hwyr. Trodd y ferch fotwm ar y panel o'i blaen a daeth golau'r radio ymlaen. Ar yr un pryd cododd erial awtomatig ar asgell y car a chlywodd yr athro sŵn miwsig clasurol yn llenwi'r awyr.

Dyna hyfryd, meddyliodd. Classic FM, mae'n siŵr.

Daeth Rhiannon allan o'r car.

"Ydych chi eisiau i fi chwilio am Radio 1 neu Atlantic 252?" gofynnodd i'r athro.

"O, na. Dim diolch," atebodd Mr Prothero'n gyflym. Doedd e ddim am darfu ar yr ardal gyfan!

Roedd Rhiannon wedi gadael drws y Mercedes ar agor. Aeth Mr Prothero i eistedd y tu ôl i'r olwyn. Roedd y seddau'n gyffyrddus a'r miwsig yn felys iawn. Roedd Mr Prothero'n teimlo'n hapus, ond hefyd yn flinedig achos roedd e wedi gweithio'n galed yn ystod yr wythnos. Caeodd ei lygaid am foment.

"'Na chi, Mr Prothero," meddai Rhiannon. "Fe a' i i lenwi'r bwced. Ymlaciwch am sbel."

Yn y cyfamser roedd Alun yn cerdded o gylch y tŷ yn chwilio am y paent. Aeth heibio i hen siѐd rydlyd a gwelodd dun o baent yn sefyll ar y llawr ger drws cefn y tŷ. Gwenodd y bachgen yn hapus; roedd brws yn gorwedd ar y ddaear wrth ochr y tun.

Cerddodd yn ôl i ffrynt y tŷ a galwodd ar Mr Prothero. Roedd sŵn miwsig yn dod o gyfeiriad y Mercedes lle'r oedd yr athro'n eistedd. Pan glywodd Rhiannon lais ei brawd cododd ei bys at ei gwefusau. Deallodd Alun yn syth: roedd Mr Prothero'n cysgu.

Aeth y bachgen yn ôl i gefn y tŷ ac agorodd y tun paent â'i gyllell boced. Cafodd sioc o weld lliw'r paent; roedd e'n frown tywyll, hyll. Edrychodd ar ddrws a ffenestri'r tŷ. Roedden nhw'n las golau. Doedd y lliw newydd ddim yn eu siwtio nhw o gwbl, ond phetrusodd Alun ddim. Roedd Cyrnol Meredith wedi gadael bwced ger y car ac roedden nhw i fod i olchi'r car. Roedd y Cyrnol wedi gadael y tun paent ger drws cefn y tŷ achos roedden nhw i fod i beintio cefn y tŷ.

Roedd hynny'n gwneud synnwyr, on'd oedd e...?

7.

Roedd Mr Prothero'n breuddwydio'i fod ar ei wyliau yn yr Iseldiroedd. Yn sydyn dechreuodd pobl weiddi a sgrechian; roedd y morglawdd wedi torri ac roedd dŵr yn llithro trwy dwll ynddo. Ceisiodd redeg i ffwrdd, ond roedd ei draed yn glynu yn y mwd. Roedd y môr yn codi'n gyflym; roedd sgidiau Mr Prothero'n llawn o ddŵr...

Deffrôdd yr athro'n sydyn ac edrych i lawr ar ei draed. Roeddent yng nghanol pwll o ddŵr.

"Be...beth sy'n digwydd?" gofynnodd. Yna sylwodd fod cefn ei drywsus yn wlyb hefyd. Roedd y dŵr ym mhobman.

Rhoddodd Rhiannon ei lliain i lawr am eiliad.

"Ar Cefyn mae'r bai," meddai hi. "Mae'n hoffi chwarae 'da dŵr."

"Fe fydd rhaid inni sychu'r carped a'r seddau," meddai'r athro'n ofnus. "Os bydd Cyrnol Meredith yn gweld hyn fe fydd e'n gwylltio!"

Ond doedd Cefyn ddim yn poeni o gwbl.

"Peidiwch â phoeni, Mr Prothero," meddai'r bachgen. "Fe fydd yr haul yn sychu popeth."

Ond doedd yr athro ddim yn gwrando. Roedd Mr Prothero newydd sylweddoli bod y radio wedi distewi er bod y golau ymlaen o hyd. Pwysodd bob botwm yn gyflym, ond heb lwyddiant. Roedd Mr Prothero mewn panig erbyn hyn.

"Rhiannon," meddai. "Mae'r radio wedi torri!"

Trodd y ferch a gwenu arno.

"Nac ydy," meddai hi. "Dydy'r radio ddim wedi torri."

"O...diolch byth!" ochneidiodd yr athro gan eistedd yn ôl yn ei sedd.

"Yr erial sy wedi torri, nid y radio," esboniodd y ferch yn fwyn.

"Be...beth?"

"Fe hongiodd Cefyn ei siaced arni er mwyn ei chadw'n sych," ebe Rhiannon.

"A phan es i i'w gwisgo hi eto," ychwanegodd Cefyn, "fe anghofiais i'n llwyr am yr erial."

Roedd yr erial yn gorwedd yn ddwy ran ar y llawr wrth ochr y Mercedes. Gwyddai Mr Prothero na allai ei thrwsio.

Edrychodd yr athro o'i gwmpas.

"Ble mae Alun?" gofynnodd.

"Yng nghefn y tŷ," atebodd Rhiannon. "Mae e wedi dechrau peintio. Doedd e ddim eisiau eich deffro chi."

Cerddodd Mr Prothero i gefn y tŷ a'i sgidiau gwlyb yn gwichian.

Roedd Alun yn hapus. Roedd e wedi gorffen peintio drws cefn y tŷ a nawr roedd e'n peintio un o'r ffenestri. Daeth Mr Prothero rownd y gornel a rhoddodd Alun y brws i lawr ar sil y ffenestr.

"Beth ydych chi'n feddwl?" gofynnodd i'r athro.

Aeth wyneb yr athro'n wyn.

"Pam wyt ti'n defnyddio'r paent 'na?" gofynnodd i'r bachgen. "Mae'r lliw yn ofnadwy!"

"Wel, dim ond y lliw 'ma sy 'da fi," atebodd Alun. "Roedd y tun ar lawr wrth y drws. Roeddech chi'n cysgu yn y car, felly fe benderfynais fynd ati ar fy mhen fy hun."

Edrychodd Mr Prothero ar yr ardd brydferth. Roedd hi wedi colli ei swyn. Roedd yr athro'n dychmygu bod Cyrnol Meredith yn cuddio y tu ôl i un o'r coed mawr.

"Mae'n amser i ni fynd," meddai wrth Alun. "Mae rhywbeth o'i le yma."

Yn y cyfamser roedd Cefyn ar ei benliniau yn y Mercedes yn ceisio sychu'r carped â lliain. Yn anffodus roedd brêc llaw y car yn ei rwystro rhag symud yn rhwydd.

"Niwsans wyt ti," meddai gan bwyso ar fotwm y brêc. Yna clywodd e Mr Prothero'n gweiddi:

"Rhiannon, Cefyn. Amser mynd. Brysiwch!"

Pan gyrhaeddodd Cyrnol a Mrs Meredith adref roedd lorri'r ffermwr o flaen y glwyd.

"Ble ydych chi eisiau i fi adael y gwrtaith?" gofynnodd y ffermwr.

"Ar waelod yr ardd," atebodd y Cyrnol. "Dilynwch y llwybr concrit."

Roedd Mrs Meredith yn eistedd yn y Mini gan ddal ei thrwyn. Roedd y gwrtaith yn ffres iawn.

"Harri," meddai hi'n llym. "Gyrra 'mlaen. Mae'r gwrtaith 'na'n gwneud i fi deimlo'n sâl."

Parciodd Cyrnol Meredith wrth ddrws ffrynt y tŷ ac aeth ar unwaith i edrych ar y Mercedes.

"Paid ag anghofio'r siopa, Harri," meddai ei wraig gan agor drws ffrynt y tŷ â'i hagoriad. "Dydy'r forwyn ddim yn gweithio heddiw."

Roedd y Mercedes yn edrych yn lân ond roedd bwced wag yn gorwedd ar ei hochr yng nghanol y llwybr.

"Tyt, tyt, dydy pobl ifanc ddim yn daclus o gwbl," cwynodd y Cyrnol wrtho'i hunan. "Ac i feddwl bod athro neu athrawes gyda nhw hefyd."

Syllodd ar ledr y seddau. Oedd e'n disgleirio yn yr haul? Agorodd ddrws y car a rhoddodd ei law ar sedd y gyrrwr. Roedd y lledr yn wlyb, a'r carped hefyd. Yna sylwodd fod erial y Mercedes wedi torri, a theimlodd Cyrnol Meredith ei dymer yn codi.

Ar waelod yr ardd roedd cefn y lorri'n codi'n araf. Yn

sydyn clywodd y Cyrnol ei wraig yn gweiddi fel petai hi'n mynd yn wallgof:

"Harri, *Harri*, dere ar unwaith. Mae rhywbeth ofnadwy wedi digwydd!"

Caeodd y Cyrnol ddrws y car â chlep fawr a brysiodd i gyfeiriad y tŷ. Siglodd y Mercedes o dan bwysau'r glep ac yna dechreuodd symud yn araf i lawr y llwybr concrit...

Aeth Cyrnol Meredith drwy'r tŷ fel bollt. Roedd ei wraig yn sefyll yn yr ardd gefn gan syllu ar wal y tŷ.

"Edrycha, Harri," wylodd hi. "Mae gwallgofddyn wedi bod yma. Edrycha ar y drws, y ffenestr. Mae e wedi peintio popeth!"

Aeth wyneb y Cyrnol yn goch, ond cyn iddo allu dweud dim clywson nhw lais arall yn dod o waelod yr ardd.

"Cyrnol...Cyrnol!"

Rhedodd y Cyrnol yn ôl trwy'r tŷ. Sylwodd ar unwaith fod y Mercedes wedi diflannu. Edrychodd o gwmpas yr ardd. Ble roedd y car wedi mynd?

Roedd y ffermwr yn dal i weiddi. Roedd e'n sefyll wrth ochr pentwr mawr o wrtaith. Roedd rhywbeth coch yn sticio allan o'r gwrtaith.

Rhwbiodd Cyrnol Meredith ei lygaid.

"O, na," meddai. "O, na..."

Ond doedd dim dwywaith taw cefn y Mercedes oedd e. Roedd e'n gallu gweld y rhif yn glir: CHM 1 – Cyrnol Harri Meredith y Cyntaf!

8.

Chysgodd Mr Prothero fawr ddim am weddill y penwythnos. Doedd e ddim yn gallu anghofio llawr gwlyb y Mercedes a'r paent ofnadwy ar dŷ Cyrnol Meredith. Ar y bore dydd Llun roedd e bron yn rhy ofnus i fynd i'r ysgol.

Fe fydd y Cyrnol wedi cysylltu â Mr James erbyn hyn, meddyliodd.

Roedd neges iddo fe yn ystafell yr athrawon. Roedd y Prifathro eisiau siarad ag e ar unwaith.

Roedd Mr James yn ddifrifol iawn pan aeth Mr Prothero i mewn i'r swyddfa.

"Rydw i wedi cael galwad ffôn gan gadeirydd y llywodraethwyr, Cyrnol Meredith," meddai wrth Mr Prothero. "Dyma restr o'i gwynion."

Aeth Mr James i sôn am y paent, am y dŵr, am yr erial ac am y gwrtaith.

"Dydw i ddim yn gwybod dim am y gwrtaith," protestiodd yr athro, ond roedd ei lais yn wan. Roedd e'n teimlo fel wylo.

"Pwy oedd gyda chi?" gofynnodd Mr James. "Fyddai un person ar ei ben ei hun ddim yn gallu achosi cymaint o ddifrod â hynny."

"Plant o bentref Gilfach," atebodd Mr Prothero'n drist.

Nodiodd y Prifathro ei ben. Roedd yn dechrau deall y sefyllfa.

"Rhiannon Jones a'i dau frawd, mae'n debyg?"

"Ie, ond doedd dim bai arnyn nhw," atebodd Mr

Prothero.

Ochneidiodd Mr James yn ddwfn.

"Plant hyfryd ydyn nhw," meddai, "ond dydyn nhw ddim yn blant cyfrifol iawn. Rwy'n cofio'r gwasanaeth tân yn gorfod dod yma un bore i gario Alun i lawr o ben y to. Roedd e wedi bod yn ceisio atgyweirio cloch yr ysgol. Ar achlysur arall fe adeiladodd Cefyn a rhai o'i ffrindiau argae yn y nant y tu ôl i'r ysgol. Wrth gwrs, pan ddaeth y glaw fe lifeiriodd y mwd trwy'r ysgol i gyd."

"Ond y tro 'ma doedd dim bai ar Rhiannon a'i brodyr," meddai Mr Prothero. "Arna i roedd y bai i gyd."

Roedd e'n awyddus i amddiffyn enw da'r plant, ond doedd y Prifathro ddim yn gwrando arno.

"Rhiannon a drefnodd y streic yn yr ysgol y llynedd," meddai Mr James. "O, dim ond jôc oedd y cwbl, ond fe ges i lawer o drafferth gyda'r papurau lleol oedd eisiau cyhoeddi'r stori. Fel roeddwn i'n dweud, dydy'r plant 'na ddim yn ddibynadwy. Mae'n rhaid ichi ddangos iddyn nhw taw chi ydy'r athro – taw chi ydy'r pennaeth. Ydych chi'n deall, Mr Prothero?"

Nodiodd yr athro ei ben yn drist. Canodd y gloch yn y coridor a chododd Mr Prothero ar ei draed.

"Mae'n rhaid i fi fynd yn ôl i'r dosbarth," meddai.

"Iawn," cytunodd Mr James.

Roedd Mr Prothero'n mynd allan o'r swyddfa pan alwodd y Prifathro ef yn ôl.

"O, mae un peth arall, Mr Prothero," meddai. "Fe fydd Cyrnol Meredith yn anfon bil atoch chi am y niwed i'w dŷ ac i'w gar cyn diwedd yr wythnos..."

9.

Doedd Rhiannon, Alun a Cefyn ddim wedi cysgu'n dda dros y penwythnos chwaith, ond am reswm arall.

Roedd anifail wedi dechrau dod i chwilio am fwyd yn y bin sbwriel wrth ddrws cefn y tŷ yn ystod y nos.

"Blaidd yw e," meddai Cefyn, oedd wedi darllen stori am Norwy yn ddiweddar.

"Paid â bod mor dwp," meddai ei chwaer. "Cadno yw e. Does dim bleiddiaid yng Nghwm Alaw."

"Mae croen cadno'n werthfawr iawn," meddai Alun. "Fe fydd rhaid i ni ei ddal e, a gwerthu'r croen i ffermwr."

"Bydd," cytunodd Rhiannon. "Yna fe roddwn ni'r arian i apêl Jennifer Edwards. Ond sut rydyn ni'n mynd i'w ddal e…?"

Rhiannon a gododd y pwnc yn nosbarth Mr Prothero fore dydd Llun.

"Fe glywais i gân am ddyn o'r enw Dafi Crockett ar y radio neithiwr, Mr Prothero," meddai hi. "Pwy oedd Dafi Crockett?"

"*Davy* Crockett? Trapiwr oedd e yng Ngorllewin Gwyllt America," atebodd yr athro.

Wrth gwrs, roedd cwestiwn gan Alun hefyd.

"Beth ydy trapiwr, Mr Prothero?" gofynnodd.

Roedd Mr Prothero yn dal i boeni am Cyrnol Meredith, felly roedd e'n ddiolchgar am y cyfle i ganolbwyntio ar destun arall.

"Mae trapiwr yn dal anifeiliaid gwyllt ac yn gwerthu eu crwyn."

"Sut mae e'n dal yr anifeiliaid?" gofynnodd Rhiannon yn gyfrwys.

"Mae e'n gosod magl iddyn nhw," eglurodd yr athro.

"Mae hynny'n greulon," meddai merch o gefn y dosbarth.

Cododd Mr Prothero ei ysgwyddau.

"Mae'n dibynnu," atebodd. "Mae rhai maglau'n greulon, ond mae'n bosibl dal anifail mewn cawell heb ei niweidio o gwbl."

Roedd Rhiannon yn syllu ar Mr Prothero â'i llygaid mawr glas.

"O, mae'n rhaid bod yn glyfar iawn i wneud cawell fel yna," ochneidiodd hi. "Oes llun 'da chi o gawell fel yna, Mr Prothero?"

Doedd Mr Prothero ddim yn gallu gwrthod sialens. Os oedd y dosbarth eisiau gweld cawell, fe fyddai e'n dod â chawell iddyn nhw i'w weld.

"Os oes amser 'da fi heno," addawodd e, "fe wna i gawell pren a dod ag e i'r ysgol bore fory."

"O, diolch, Mr Prothero," meddai Rhiannon â gwên fach. "Diolch yn fawr."

Roedd cynllun y ferch wedi gweithio'n dda, ac roedd Mr Prothero wedi cwympo i'r fagl!

Gweithiodd Mr Prothero ar y cawell tan naw o'r gloch. Yna rhoddodd e'r cawell yng nghist y car cyn mynd i lawr i dafarn y pentref.

Roedd y tri phlentyn wedi bod yn gwrando arno'n gweithio. Gwelon nhw ef yn rhoi'r cawell yn y car. Roedden nhw'n gwybod nad oedd cloeon y Ford ddim yn gweithio'n dda.

Pan ddaeth Mr Prothero'n ôl o'r dafarn am hanner wedi deg, sylwodd e ddim fod y cawell wedi diflannu.

10.

Deffrôdd Cefyn yn sydyn. Roedd rhywun yn symud o gwmpas ar ben y grisiau. Taflodd Cefyn y blancedi i ffwrdd, neidiodd o'r gwely ac aeth i agor y drws. Roedd ei frawd Alun yn sefyll ar ben y grisiau ac yn dal tors yn ei law.

"Alun," meddai. "Beth sy'n digwydd?"

"Shhh...Paid â deffro Mam. Mae rhywbeth wedi'i ddal yn y cawell."

Agorodd Cefyn ei lygaid yn fawr.

"Wyt ti'n siŵr?" gofynnodd.

"Ydw. Mae fy ffenest i'n agored. Mae rhywbeth yn crafu drws y cawell ac yn crio."

"Sut mae e'n swnio, Alun – fel blaidd?"

"Nage. Fel cadno efallai."

Agorodd y drws arall a daeth Rhiannon allan. Aeth y ddau frawd i lawr y grisiau yng ngolau'r dors, a dilynodd Rhiannon nhw heb ddweud gair.

Aethon nhw drwy'r gegin ac allan i'r ardd. Roedd Alun wedi dweud y gwir. Roedden nhw'n gallu clywed yr anifail yn glir. Roedd e'n ymdrechu i ddianc o'r cawell, ond yn ofer. Roedd Mr Prothero wedi gwneud ei waith yn dda.

Cyrcydodd Alun o flaen y cawell.

"Cymer ofal," rhybuddiodd ei frawd. "Mae bleiddiaid yn beryglus iawn!"

Fflachiodd Alun y dors ar y cawell a chwarddodd Rhiannon yn uchel.

"Dere i weld dy flaidd di, Cefyn," meddai hi. "Mae'n edrych yn eithaf diniwed i fi."

Syllodd Cefyn ar yr anifail yn y cawell. Daeargi bach brwnt oedd e. Pan agorodd Alun ddrws y cawell ceisiodd y ci guddio yn y cefn.

Aeth Rhiannon ar ei phenliniau o flaen y cawell.

"Dere 'ma," meddai hi'n dawel wrth y daeargi. "Paid â bod ag ofn." Petrusodd y ci bach am foment, yna daeth allan a gadawodd i'r ferch anwesu ei ben e.

"Mae e eisiau bwyd," meddai Alun. "Mae ei asennau'n sticio trwy ei groen e."

"Gadewch inni fynd ag e i mewn i'r tŷ," awgrymodd Cefyn. "Efallai fod rhywbeth iddo fe yn yr oergell. Fe wna i roi'r cawell yn ôl yng nghar Mr Prothero."

Pan gododd Mrs Jones am hanner awr wedi saith cafodd sioc o weld ci dieithr yn cysgu ar lawr y gegin. Agorodd ddrws yr oergell a gwelodd fod hanner plataid o bastai wedi diflannu. Sylweddolodd ar unwaith beth oedd wedi digwydd.

Galwodd y plant am wyth o'r gloch. Fel arfer roedd y

tri phlentyn yn swnllyd yn y bore, ond y tro yma roedden nhw'n dawel iawn. Dim gweiddi, dim ffraeo, dim ymladd.

Roedd y plant yn bwyta brecwast yn y lolfa pan ofynnodd eu mam yn sydyn:

"Pwy ddaeth â'r ci bach i mewn i'r tŷ yn ystod y nos?"

Cafwyd munud o ddistawrwydd cyn i Alun ateb.

"Fi, Mam," meddai.

"A fi," meddai Rhiannon.

"A finnau," ychwanegodd Cefyn trwy ei greision ŷd.

"Wel, dych chi ddim yn mynd i'w gadw e," meddai Mrs Jones. "Fe fydd rhaid i fi fynd ag e i swyddfa'r heddlu."

Rhoddodd Rhiannon ei llwy ar y bwrdd.

"O, Mam..." erfyniodd.

Siglodd Mrs Jones ei phen yn bendant.

"Mae'r tŷ'n wag yn ystod y dydd," eglurodd. "Fyddai hynny ddim yn deg â'r ci. Ar ben hynny, mae'n bosibl ei fod e'n perthyn i rywun."

"Ond mae e mor denau â Mr Prothero," protestiodd Alun. "Mae ei berchennog wedi'i gam-drin e."

"Mae'n ddrwg gen i, Alun," meddai ei fam. "Problem yr heddlu ydy hynny. Mae digon o broblemau 'da fi'n barod..."

11.

Roedd y dosbarth i gyd yn awyddus i weld y cawell roedd

Mr Prothero wedi'i wneud y noson cynt. Wel, pawb ac eithrio Alun a Rhiannon. Cafodd yr athro siom fawr pan na ddangosodd Rhiannon unrhyw ddiddordeb o gwbl yn y cawell. Wedi'r cwbl, Rhiannon oedd wedi codi pwnc Davy Crockett a maglu anifeiliaid yn y lle cyntaf.

A dweud y gwir, doedd yr efeilliaid ddim yn gallu canolbwyntio ar ddim o'r hyn roedd Mr Prothero yn ei ddweud. Roedd eu meddyliau i gyd ar y ci bach roedden nhw wedi'i adael gyda'u mam.

"Tybed beth fydd yr heddlu yn ei wneud â fe?" sibrydodd Rhiannon tra oedd Mr Prothero'n ysgrifennu problemau mathemategol ar y bwrdd du.

"Wn i ddim," atebodd ei brawd. "Ond rwy wedi clywed eu bod nhw'n..."

"Alun," meddai Mr Prothero'n llym. "Rhiannon! Ydych chi'n talu sylw? Dydw i ddim yn deall beth sy'n bod arnoch chi heddiw."

Roedd Mr Prothero ar ei ffordd i ystafell yr athrawon yn ystod yr amser egwyl pan gwrddodd â Cefyn Jones ar y coridor. Roedd yn amlwg bod Cefyn wedi bod yn aros amdano fe.

"Helo, Cefyn," meddai'r athro. "Sut mae pethau y bore 'ma?"

Aeth heibio i'r bachgen, ond yna sylwodd fod Cefyn yn ei ddilyn e. Arhosodd Mr Prothero.

"Oes rhywbeth yn bod, Cefyn?" gofynnodd.

Petrusodd y bachgen am eiliad cyn siarad. "Ydych... ydych chi'n teimlo'n unig yn y bwthyn yn y nos, Mr Prothero?"

"Unig, Cefyn? Nac ydw. Pam wyt ti'n gofyn?"

Roedd y bachgen yn chwilio am eiriau.

"Wel...hoffech chi gael cwmni pan fyddwch chi'n gwylio'r teledu neu'n mynd i'r gwely?"

Cochodd Mr Prothero dipyn.

"I'r gwely?" Oedd Cefyn Jones wedi drysu?

Cymerodd y bachgen anadl ddofn.

"Hoffech chi gadw ci bach yn y bwthyn gyda chi, Syr?" meddai'n gyflym.

Pan sylweddolodd Mr Prothero nad oedd Cefyn Jones yn sôn am briodas, chwarddodd yn uchel.

"Ci bach, Cefyn? O na, dim diolch. Nawr, esgusoda fi. Rydw i ar fy ffordd i gael cwpanaid o de..."

Roedd y ci bach yn gwylio pob symudiad o eiddo Mrs Jones tra oedd hi'n clirio'r llestri ar ôl brecwast. Roedd y tri phlentyn wedi cychwyn am yr ysgol yn barod.

Rhoddodd Mrs Jones y plât olaf i'w gadw ac yna trodd at y ci a dweud:

"Wel, alla i ddim mynd â chi brwnt i swyddfa'r heddlu. Fe fydd rhaid iti gael cawod er mwyn edrych yn smart."

Gwisgodd fenig trwchus rhag ofn y byddai'r ci bach yn ceisio ei brathu hi, ond doedd dim angen. Roedd yn amlwg bod y ci wedi dioddef profiadau llawer gwaeth na chawod yn ddiweddar. Gadawodd i'r nyrs ei olchi o'i drwyn i'w gwt heb unrhyw brotest.

Sychodd hi flew'r ci â hen dywel.

"Wel, wel," meddai wrtho fe. "Ci pert wyt ti gyda dy flew gwyn, brown a du. Rwy'n siŵr y bydd rhywun yn

hapus i roi cartref iti."

Roedd rhaid i Mrs Jones alw ar ddau glaf ar ei ffordd i swyddfa'r heddlu. Pan stopiodd hi'r car o flaen y tŷ cyntaf neidiodd y ci allan o'r car hefyd.

Da iawn, meddyliodd y nyrs. Gobeithio y bydd e'n nabod yr ardal ac yn dychwelyd i'w gartref.

Ond pan ddaeth hi allan o'r tŷ roedd y ci bach yn aros yn amyneddgar wrth ddrws y car. Digwyddodd yr un peth wrth yr ail dŷ, ond y tro hwn siglodd y ci ei gwt i ddangos ei fod e'n hapus i weld Mrs Jones eto.

Edrychodd y nyrs ar ei wats. Pum munud i ddeg. Jyst digon o amser i fynd â'r ci i swyddfa'r heddlu cyn ei hymweliad nesaf...

Cyrhaeddodd Rhiannon, Alun a Cefyn gartref am hanner awr wedi pedwar. Roedd eu mam yn yr ardd ffrynt, yn rhoi dillad ar y lein.

"Wnest ti fynd â'r ci i swyddfa'r heddlu, Mam?" gofynnodd Rhiannon. Roedd y ferch a'i dau frawd wedi bod a'u pennau yn eu plu trwy'r dydd.

"Do," atebodd Mrs Jones. "Fe ddywedon nhw ei fod e'n crwydro'r ardal ers wythnosau, ond doedd neb wedi llwyddo i'w ddal e."

Aeth Alun heibio i'w fam heb ddweud gair. Doedd e ddim yn teimlo fel siarad. A dweud y gwir roedd e'n teimlo'n euog. O leiaf roedd y ci bach wedi bod yn rhydd tan y bore hwnnw, ond nawr roedd e'n garcharor yn swyddfa heddlu Tref Alaw.

Agorodd y bachgen ddrws ffrynt y tŷ a chafodd sioc

fawr. Roedd y ci bach yn gorwedd o flaen tân y lolfa!

Pan sylweddolodd y daeargi fod y plant wedi dod yn ôl, neidiodd ar ei draed a rhedodd i'w croesawu nhw.

Trodd Rhiannon at ei mam. Doedd y ferch ddim yn deall o gwbl.

"Roedd e mor dda yn ystod y daith," eglurodd Mrs Jones, "fe ddywedais i wrth yr heddlu fy mod i am ei gadw e. Fe all e ddod gyda fi yn y car yn ystod y dydd, ond fe fydd rhaid i chi ofalu amdano fe gyda'r nos a thros y penwythnos."

"O, Mam," meddai Rhiannon. Roedd dagrau yn ei llygaid hi. "Diolch."

"Fe fydd rhaid ichi roi enw iddo fe," meddai Mrs Jones.

Meddyliodd Rhiannon am y ci bach, am y cawell, ac yna am wers Mr Prothero am drapwyr y Gorllewin Gwyllt. Trodd yn sydyn at ei dau frawd.

"Beth am *Crockett*?" gofynnodd dan wenu.

12.

Cododd cronfa apêl Jennifer Edwards yn gyflym yn ystod y mis cyntaf, ac erbyn diwedd y mis roedd Cwm Alaw wedi casglu ugain mil o bunnau. Yna, dechreuodd pethau arafu dipyn. Doedd trigolion y cwm ddim yn gyfoethog. Roedd y pyllau glo wedi cau erstalwm, a bu'n rhaid i lawer o bobl symud i'r trefi mawr i gael gwaith.

"Mae'r staff eisiau cynnal ffair sborion ar gyfer yr

apêl," meddai Mrs Hunt wrth Mr James un diwrnod.

"O'r gorau," cytunodd y Prifathro. "Ond ble? Yma yn yr ysgol?"

"Pam lai?" meddai Mrs Hunt. "Fydd y gofalwr yn barod i agor yr ysgol ar fore Sadwrn?"

"Fe gaf i air ag e," atebodd Mr James. "Beth am bythefnos i ddydd Sadwrn nesaf? Fydd hynny'n rhoi digon o amser ichi i gasglu dillad ac ati i'r ffair?"

"Bydd," meddai'r ddirprwy-brifathrawes. "Ond fe fydd rhaid ichi ysgrifennu llythyr at rieni pob plentyn yn gofyn am eu cefnogaeth."

Roedd Mr Prothero wedi clywed yr athrawesau'n sôn am ffair sborion, ond doedd e ddim wedi talu llawer o sylw. Fuodd e erioed mewn ffair sborion.

Fydd dim dynion yno, meddyliodd. Fe wnaf i esgus i beidio â mynd.

Ond yn anffodus doedd Mrs Hunt ddim am adael i neb ddianc trwy'r rhwyd.

"Peidiwch â gwneud esgusion, Mr Prothero," meddai hi pan soniodd yr athro am roi gwasanaeth i'w gar ar ddiwrnod y ffair sborion. "Fyddwch chi ddim ar eich pen eich hunan yn y ffair. Fe fydd Mr James yno hefyd yn trefnu raffl."

"Wel, gaf i helpu Mr James 'da'r raffl?" gofynnodd Mr Prothero. "Dydw i ddim eisiau gofalu am stondin o ddillad merched."

"Dillad merched, Mr Prothero?" meddai Mrs Hunt dan chwerthin. "O na, fydd dim rhaid ichi gyffwrdd â dillad merched o gwbl. Fe fyddwch chi'n gofalu am stondin bric-à-brac, ac fe ofynna i rai o'r plant eich helpu chi."

Pan glywson nhw fod Mr Prothero'n gofalu am stondin yn y ffair aeth Rhiannon, Alun a Cefyn yn syth i'w weld e.

"Rydyn ni eisiau eich helpu chi 'da'r stondin," medden nhw.

"O, does dim rhaid," protestiodd Mr Prothero. Doedd e ddim wedi anghofio'r drafferth yn nhŷ Cyrnol Meredith. "Mae Mrs Hunt yn mynd i drefnu helpwyr i fi."

"Dyna pam rydyn ni wedi dod," meddai Alun, gan ddweud celwydd.

"Ie," cytunodd Rhiannon yn gyflym. "Mae hi wedi'n dewis ni i weithio ar y stondin gyda chi."

"O, wel..." meddai Mr Prothero gan godi ei ysgwydd-au.

"Fe fydd rhaid inni weithio'n gyflym," meddai Alun. "Fe ddechreuwn ni gasglu bric-à-brac heno."

Ar ôl gadael Mr Prothero aeth y tri phlentyn yn syth at Mrs Hunt a dweud wrthi hi fod Mr Prothero wedi gofyn iddyn nhw roi help iddo yn y ffair sborion...

Gweithiodd y tri yn galed iawn bob nos yn mynd o dŷ i dŷ yn y pentref gan ofyn am hen bethau i'r stondin, ond roedd y casgliad yn siomedig iawn.

"Dydy pobl Gilfach ddim yn hael o gwbl," cwynodd Alun gan edrych ar yr hen bethau roedden nhw wedi'u casglu yn ystod yr wythnos.

"Beth am ofyn i Mr Prothero ffurfio giang o ladron?" awgrymodd Cefyn, oedd newydd ddarllen stori Oliver

Twist mewn cylchgrawn cartŵn.

"Paid â bod yn dwp," atebodd Alun yn llym. "Rwyt ti wedi achosi digon o drafferth i Mr Prothero'n barod."

"Nid fi yw'r unig un. Ti roddodd y paent ofnadwy 'na ar dŷ'r Cyrnol!" gwaeddodd Cefyn.

Tra oedd ei brodyr yn dadlau roedd Rhiannon yn meddwl yn ddwys am y broblem. Gwenodd yn sydyn.

"Mae syniad 'da fi," meddai hi. "Fe ofynnwn ni i'n ffrindiau yn yr ysgol ddod â rhywbeth arbennig ar gyfer stondin Mr Prothero. Dim sbwriel, rhywbeth gwerthfawr."

Syllodd ei brodyr arni.

"Beth?" gofynnodd Alun. "Dod â phethau heb i'w rhieni wybod amdanyn nhw?"

"Pam lai!" atebodd Rhiannon gan godi ei hysgwyddau.

13.

Pan glywodd Mrs Hunt fod y Jonesiaid wedi cynnig eu help i'r athro newydd aeth i weld y Prifathro.

"Mae hyn yn profi bod Mr Prothero yn boblogaidd iawn gyda'r plant," meddai hi. "O, gobeithio y bydd hi'n bosibl iddo fe aros gyda ni y flwyddyn nesaf!"

Ond doedd y newyddion ddim mor gymeradwy i Mr James. "Y Jonesiaid yna," ebychodd. "Wel, gobeithio y bydd Mr Prothero'n fwy gofalus y tro 'ma."

A dweud y gwir, roedd Rhiannon a'i brodyr wedi bod yn gweithio'n galed iawn yn casglu bric-à-brac i stondin

Mr Prothero. Bob bore roedden nhw'n dod â bag du i'r dosbarth yn llawn o'r pethau roedd eu ffrindiau wedi'u casglu gartref.

O'r diwedd cyrhaeddodd diwrnod y ffair sborion ac aeth Mr Prothero â Rhiannon, Alun a Cefyn i'r ysgol yn ei hen Ffordyn. Roedd y plant wedi rhoi'r bagiau du yng nghornel y dosbarth a nawr roedd rhaid iddyn nhw symud y bric-à-brac i neuadd yr ysgol.

"Peidiwch â phoeni am y bagiau," meddai Alun wrth yr athro. "Fe fydd Cefyn a fi yn dod â nhw i'r neuadd. Fe fydd Rhiannon yn eich helpu chi i drefnu'r stondin."

Cafodd yr athro newydd sioc wrth agor y bag cyntaf a dod â'r bric-à-brac allan.

"Ond mae'r stwff 'ma'n fendigedig," meddai wrth Rhiannon.

"Ydy," atebodd y ferch yn falch. "Fe ddywedon ni wrth ein ffrindiau nad oedd eisiau sbwriel arnon ni."

Cyn bo hir roedd yr athrawesau i gyd yn sefyll o gwmpas y stondin ac yn edmygu'r arddangosfa o gelfi bach cain, clociau a gemau. Roedd pawb yn cytuno taw stondin Mr Prothero oedd uchafbwynt y ffair.

Cyrhaeddodd Cyrnol Meredith a'i wraig yr ysgol chwarter awr cyn i'r ffair sborion agor yn swyddogol. Cawson nhw groeso cynnes gan y Prifathro, a'u harweiniodd nhw i mewn i'r neuadd. Doedd y Cyrnol ddim eisiau cwrdd â Mr Prothero ond pan welodd Mrs Meredith stondin y bric-à-brac gwaeddodd yn gyffrous:

"Edrycha, Harri! Mae pethau bendigedig ar werth ar y stondin 'na."

Felly, bu'n rhaid i'w gŵr ei dilyn hi at stondin ei elyn, Mr Prothero.

"Wel, wel...!" Siglodd Mrs Meredith ei phen. Allai hi ddim credu ei llygaid. Doedd hi erioed wedi gweld casgliad fel hyn mewn ffair sborion.

"Faint o arian fyddwch chi'n ei ofyn am bob eitem?" gofynnodd hi i Mr Prothero.

Cododd yr athro ei ysgwyddau. Doedd e ddim wedi meddwl am brisiau eto.

"Wn i ddim," atebodd. "Hanner can ceiniog, efallai. Fyddai hynny'n ormod?"

"Pum deg ceiniog yr un!" gwaeddodd Mrs Meredith. "Harri...!"

"Ie?"

"Faint o arian sy 'da ti? Rydw i'n barod i dalu dau gant o bunnau am y stondin 'ma i gyd."

"Dau gant o bunnau?" protestiodd y Cyrnol. "Ond Hilda, dim ond ugain punt sy 'da fi."

"Wel, ysgrifenna siec," gorchmynnodd ei wraig. "Dydw i ddim yn mynd i golli cyfle fel hwn."

Edrychodd Mr Prothero draw at Mrs Hunt. Nodiodd y ddirprwy-brifathrawes ei phen. Fyddai'r un stondin arall yn codi chwarter y swm yna.

Trodd Hilda Meredith at ei gŵr.

"Arhosa yma, Harri," meddai hi. "Rwy'n mynd i gael coffi yn ystafell yr athrawon. Paid â gadael i neb gyffwrdd â'r bric-à-brac 'ma. Mae popeth yn perthyn i fi."

Am ddeg o'r gloch agorodd Mr James ddrysau'r neuadd a daeth y cyhoedd i mewn. Gwragedd oedd y mwyafrif ohonyn nhw ac roedden nhw i gyd am y cyntaf i gyrraedd y stondinau.

Ceisiodd y Prifathro ddweud gair o groeso, ond gwthiodd y gwragedd ef i un ochr a rhuthro ymlaen fel pac rygbi.

Cyrhaeddon nhw stondin y bric-à-brac, ond roedd Cyrnol Meredith yn sefyll yn eu ffordd fel delw.

"Mae'n ddrwg gen i, foneddigesau," meddai wrthyn nhw. "Dydy'r pethau ar y stondin 'ma ddim ar werth."

Syllodd rhyw fenyw fawr arno fe.

"Ddim ar werth?" meddai hi. "Ond dim ond newydd agor mae'r ffair sborion."

Dechreuodd y gwragedd eraill gwyno ond ildiodd y Cyrnol mo'i dir.

"Mae rhywun wedi gwneud cynnig hael am y stondin i gyd," meddai Cyrnol Meredith yn rhesymol.

"Pwy?" gofynnodd y fenyw fawr. "Dim ond ni sy yma."

Cochodd y Cyrnol dipyn.

"Fy...fy ngwraig i," meddai.

Trodd y fenyw fawr at y lleill a chwarddodd yn eironig.

"Ei wraig e, wir. Wela i mo'i wraig e!"

Dechreuon nhw fynd o gwmpas y Cyrnol ac edrych ar y pethau ar y stondin.

"Wel, wel," dywedodd un o'r gwragedd wrth ei ffrind. "Edrycha ar y cloc 'na, Heti. Mae'n debyg iawn i'r cloc roddais i i ti ar ddiwrnod dy briodas, on'd yw e?"

"O, ydy," cytunodd Heti. "Ac edrycha ar y darlun 'ma. Roedd un tebyg yn hongian ar wal dy lolfa di."

"Oedd, ond nawr mae e yn ystafell wely fy merch," atebodd y llall. "Fe ofynnodd i fi roi'r darlun iddi hi yr wythnos ddwetha. Wn i ddim pam. Fel arfer mae hi'n hongian posteri yn ei stafell wely."

Roedd y gwragedd yn cymryd llawer o ddiddordeb yn stondin Mr Prothero ond rhoddodd Cyrnol Meredith rybudd iddyn nhw.

"Peidiwch â chyffwrdd â dim byd ar y stondin," meddai'n grac. "Dydy'r bric-à-brac yma ddim ar werth."

Craffodd y fenyw fawr ar gynnwys y stondin a chododd freichled aur i'r awyr. Trodd y freichled yn ei llaw ac ar yr un pryd trodd ei hwyneb hi'n borffor.

"Mae'r freichled 'ma yn perthyn i fi," meddai mewn llais uchel. "Edrychwch! Dyna fy enw i ar y cefn – Melvina."

"Rhoddwch hi i lawr, os gwelwch yn dda," gorchmynnodd y Cyrnol, ond roedd ei lais yn dechrau colli ei gryfder.

"Na wnaf," gwaeddodd y fenyw fawr. "Lleidr ydych chi!"

"Ie," cytunodd gwraig fach oedd yn sefyll wrth ochr y fenyw fawr. "Hen Fagin yw e. Mae wedi gorfodi plant yr ysgol i ddwyn pethau oddi wrth eu rhieni eu hunain."

Tra oedd hi'n siarad cododd y fenyw fawr ei hambarél i'r awyr a daeth ag ef i lawr yn galed ar ben y Cyrnol.

"Madam, rydych chi'n gwneud camgymeriad difrifol," protestiodd e ond dechreuodd y gwragedd i gyd weiddi'n uchel:

"Eto, Melvina. Dysga wers iddo fe! Mae'r stwff 'ma i

gyd yn perthyn i ni."

Edrychodd Cyrnol Meredith o'i gwmpas. Dim ond un person fyddai'n gallu esbonio'r sefyllfa i'r gwragedd gwallgof hyn. Gwelodd e'r athro newydd yn croesi'r ystafell ar flaenau'i draed i gyfeiriad y drws lle'r oedd y tri phlentyn yn disgwyl amdano fe.

"Prothero!" gwaeddodd y Cyrnol, ond roedd yn rhy hwyr. Daeth yr ambarél i lawr yr eilwaith.

Erbyn hyn roedd y gwragedd crac yn ei wthio ac yn ei binsio. Doedd e ddim yn gallu dianc. Doedd dim ffordd allan. Roedd rhaid iddo weiddi am help.

"Hilda! Hilda!" gwaeddodd, ac yna aeth i guddio o dan fwrdd y stondin.

14.

"Mae Cyrnol Meredith wedi cwyno wrtho i unwaith eto am Mr Prothero," meddai'r Prifathro wrth Mrs Hunt tra oedden nhw'n yfed coffi ar y dydd Llun canlynol.

"All neb roi'r bai ar Mr Prothero y tro hwn," protestiodd y ddirprwy-brifathrawes. "Fe ddaeth Rhiannon Jones a'i brodyr i'm gweld gynnau fach. Nhw gasglodd y bric-à-brac oedd ar stondin Mr Prothero."

"Rwy'n cytuno â chi, Mrs Hunt," ochneidiodd Mr James. "Ond mae'n amlwg nad ydy Mr Prothero'n gallu osgoi helyntion. Fe roddais i rybudd iddo fe am y plant yna ar ôl y trychineb yn nhŷ'r Cyrnol."

Sipiodd Mrs Hunt ei choffi.

"Roedd y plant i gyd yn awyddus i helpu Mr Prothero," meddai hi. "Dyna pam y daethon nhw â phethau gwerthfawr i'w stondin e. Mae Mr Prothero'n athro da iawn, ac mae e'n boblogaidd gyda'r plant hefyd."

"Rwy'n gwybod hynny," cytunodd y Prifathro. "Ond cyn diwedd y tymor fe fydd llywodraethwyr yr ysgol yn cwrdd er mwyn penderfynu dyfodol Mr Prothero. Os bydd Cyrnol Meredith yn ei feirniadu yn y cyfarfod fe fydd rhaid i Mr Prothero chwilio am swydd arall..."

Yn y cyfamser roedd Crockett y ci wedi ymgartrefu yng nghartref y Jonesiaid ym mhentref Gilfach. Bob nos ar ôl yr ysgol byddai'r plant yn mynd ag e am dro hir ar lan y nant neu i fyny llethrau'r mynyddoedd.

Ci iach a hapus oedd Crockett, ond yn rhyfedd iawn, doedd e byth yn cyfarth.

"Dydw i ddim yn deall Crockett," meddai Alun wrth Mr Prothero un diwrnod ar ddiwedd gwers. "Mae e'n bwyta'n dda, mae e'n rhedeg i bobman, mae e'n siglo ei gynffon pan gyrhaeddwn ni adref; ond dydy e byth yn cyfarth. Tybed pam?"

Meddyliodd yr athro cyn ateb.

"Dydyn ni ddim yn gwybod dim byd am Crockett," meddai. "Ond os oedd ei gyn-berchennog yn hela gyda fe mae'n bosibl fod Crockett wedi dysgu peidio â chyfarth rhag ofn dychryn yr ysglyfaeth."

Roedd Mr Prothero yn hoff iawn o Crockett. Bob nos roedd y plant yn mynd â'r ci i fwthyn yr athro ac roedd Mr Prothero yn rhoi bisgedi a soseraid o laeth iddo.

"Ond cathod sy'n yfed llaeth," protestiodd Cefyn.

"Cŵn hefyd," atebodd yr athro. "Mae llaeth yn dda i bawb."

Yna, un bore Sadwrn, daeth y plant â newyddion i Mr Prothero.

"Rydyn ni newydd weld poster yn y pentref," medden nhw wrtho fe. "Mae'n hysbysebu ras 10 kilometer ar gyfer apêl Jennifer Edwards. Yn ôl y poster fe fydd y ras yn dod trwy bentref Gilfach."

"Ydych chi'n hoffi rhedeg, Mr Prothero?" gofynnodd Rhiannon.

Gwenodd yr athro'n swil.

"Ydw," atebodd. "Fi oedd pencampwr y coleg amser maith yn ôl."

"Wel," meddai Alun. "Rwy'n siŵr byddai plant ein dosbarth ni i gyd yn rhoi arian i apêl Jennifer Edwards petaech chi'n rhedeg yn y ras, Mr Prothero."

Ac roedd Alun yn iawn. Pan glywodd plant y dosbarth y byddai eu hathro yn cystadlu yn y ras fe gynigion nhw i gyd arian i'r apêl.

Ond un prynhawn gofynnodd Mr James i'r athro newydd ddod i'w weld yn ei swyddfa.

"Felly rydych chi'n mynd i gystadlu yn y ras 10 kilometer," meddai.

"Ydw," atebodd Mr Prothero. "Dydw i ddim am siomi'r plant sy wedi addo fy nghefnogi i."

Ond roedd wyneb y Prifathro'n ddifrifol iawn.

"Fe fydd Cyrnol Meredith yn cystadlu yn y ras hefyd," rhybuddiodd. "Fe yw pencampwr y cwm. Fe fydd e'n grac iawn os na fydd e'n ennill y ras, Mr Prothero. Oes rhaid i fi ddweud mwy?"

15.

Ar ôl trychineb y ffair sborion roedd Cyrnol Meredith yn falch i gael canolbwyntio ar y ras 10 kilometer er mwyn profi unwaith eto taw ef oedd pencampwr rhedeg y cwm.

Fel arfer roedd y Cyrnol yn loncian ar ei ben ei hun ar hyd strydoedd Cwm Alaw, ond eleni roedd ganddo gwmni annisgwyl. Roedd ei fab a'i ferch-yng-nghyfraith wedi mynd i Ffrainc am fis o wyliau ac roedden nhw wedi gofyn i Cyrnol a Mrs Meredith ofalu am eu pŵdl, Jessica, tra bydden nhw i ffwrdd.

"Paid â phoeni, Rodney," meddai Hilda Meredith wrth ei mab. "Mae dy dad yn arfer rhedeg am awr bob pnawn cyn ras bwysig, ac fe fydda i'n gwneud yn siŵr y bydd e'n mynd â Jessica gyda fe. Yna fe fydd y ddau ohonyn nhw'n ffit pan ddewch chi'n ôl o Ffrainc."

Felly, bob prynhawn roedd y Cyrnol a'r ci i'w gweld yn rhedeg gyda'i gilydd ar hyd strydoedd Cwm Alaw. Ar y dechrau roedd rhaid i'r Cyrnol ddal y pŵdl ar dennyn ond cyn bo hir roedd y ci yn barod i'w ddilyn e heb dennyn.

"Mae Jessica yn mwynhau loncian bron cymaint â fi, Hilda," meddai Harri Meredith wrth ei wraig. "Fe fyddai'n stori dda i'r papurau newydd petai dau aelod o'r un teulu'n gorffen y ras yn gyntaf ac yn ail!"

Yn y cyfamser roedd Mr Prothero yn ymarfer ar ôl dod yn ôl o'r ysgol ac ar benwythnosau. Gwaetha'r modd, doedd ganddo ddim llawer o amser am ei fod e'n gorfod marcio llyfrau a pharatoi gwersi bob nos.

Roedd y Jonesiaid yn awyddus i gymryd rhan yn y ras hefyd, ond doedd hynny ddim yn bosibl. Roedd trefnwyr y ras wedi penderfynu na allai plant gystadlu. Felly roedd rhaid iddyn nhw chwilio am ffyrdd eraill i dreulio'u hamser.

"Beth am adeiladu ffau ger yr afon?" awgrymodd Alun. "Yna, os bydd sychder yn ystod yr haf, fe allwn ni ddod â Mam i fyw yn y ffau gyda ni achos dydy'r afon byth yn mynd yn sych."

Syllodd ei frawd iau arno fe.

"Ond dydy tap y gegin ddim yn sychu chwaith, Alun," meddai'n rhesymol.

"O, cau dy ben, Cefyn," atebodd Alun. "Os nad wyt ti am fyw yn y ffau gyda ni, fe elli di aros yn y tŷ ar dy ben dy hun."

"Ddywedais i ddim fy…"

"Mae'n rhaid inni chwilio am le addas i adeiladu'r ffau," meddai Rhiannon yn gyflym. Weithiau roedd dadlau ei brodyr yn mynd ymlaen am oriau a doedd hi ddim eisiau gwastraffu amser. "Beth am y coed? Fe fydd digon o gysgod i Crockett yno os bydd yr haf yn boeth iawn."

Aeth y tri phlentyn â'r ci i'r coed fel roedd Rhiannon wedi awgrymu ac ymhen hanner awr roedden nhw wedi dod o hyd i le perffaith. Dim ond twll yn y ddaear oedd e,

ond cyn bo hir roedden nhw wedi casglu digon o hen ganghennau i wneud to i'r ffau.

"Os bydd hi'n bwrw glaw fe fyddwn ni'n gallu cadw'n sych yn y ffau, diolch i'r to 'ma," ebe Alun.

Os bydd hi'n bwrw glaw fe fydda i'n aros yn y tŷ, meddyliodd Cefyn, ond ddywedodd e ddim byd oherwydd doedd e ddim eisiau digio ei frawd hŷn eto.

Tra oedden nhw'n gweithio roedd Crockett yn rhedeg o gwmpas yn hapus.

"Tybed pam nad yw e'n cyfarth?" gofynnodd Rhiannon. Roedd yn gofyn yr un cwestiwn bob dydd.

"Efallai ei fod e'n fud," meddai Alun.

Trodd at y ci a gofyn:

"Ci bach rhyfedd wyt ti, Crockett. Dywed, wyt ti'n fud?"

Pan glywodd ei enw, trodd y ci ac edrychodd ar Alun.

"Ti'n gweld, Rhiannon," ebe Alun wrth ei chwaer. "Dydy e ddim yn ateb. Mae hynny'n profi ei fod e'n fud."

"Paid â bod yn dwp, Alun," meddai Rhiannon gan anwesu pen Crockett. "Beth bynnag, a dau frawd swnllyd fel chi yn y tŷ, pwy sy angen ci sy'n cyfarth?"

Ar fore'r ras aeth y plant a Crockett heibio i fwthyn Mr Prothero. Roedd yr athro'n gorwedd o dan beiriant ei hen gar, ac roedd bwced plastig wrth ei ochr.

"Oes rhywbeth yn bod ar y car?" gofynnodd Cefyn.

Trodd yr athro ei ben ac edrych arnyn nhw.

"Nac oes," atebodd. "Newid yr olew ydw i. Ond cymerwch ofal, mae'r bwced yn llawn o hen olew brwnt."

Cyn i Alun a Rhiannon allu ei rwystro, rhoddodd

Cefyn ei law yn yr olew a dechrau peintio ei wyneb.

"Cefyn," meddai ei chwaer. "Fe fydd Mam yn dy ladd di!"

"Na fydd," atebodd Cefyn. "Comando ydw i, Rhiannon!"

Edrychodd Alun ar ei frawd iau â diddordeb. Roedd Cefyn wedi rhoi cychwyn ar gêm newydd.

16.

Cyrhaeddodd Mr Prothero Dref Alaw am ddeng munud i ddau. Roedd tyrfa o bobl yn sefyll o flaen clwyd yr ysgol yn disgwyl i'r ras gychwyn. Roedd map o'r ras ar boster ar y glwyd. Byddai'r cystadleuwyr yn rhedeg i fyny'r cwm hyd at bentref Gilfach, yna'n troi ac yn dod yn ôl ar hyd glan yr afon.

Gwelodd Mr Prothero Cyrnol Meredith yn sefyll yn rheng flaen y rhedwyr. Roedd y Cyrnol yn siarad â Maer Cwm Alaw ac yn gofyn iddo wneud yn siŵr y byddai ffotograffydd y papur bro yno erbyn diwedd y ras.

"Rwy'n teimlo'n hyderus iawn, Jac," meddai wrth y Maer. "Rwy'n siŵr y bydda i'n ennill y ras gyda Jessica, fy mhŵdl, wrth fy ochr i."

Roedd y Cyrnol yn gwisgo siwt loncian las, ac roedd Jessica'n gwisgo ruban pinc o gwmpas ei gwddf. Roedd y Cyrnol wedi meddwl am bopeth. Roedd dau fag plastig yn hongian o'i flaen e. Roedd un yn llawn o sudd oren a'r llall yn llawn Ribena. Fel yna, fyddai dim rhaid iddo stopio i gael diod yn ystod y ras.

Aeth Mr Prothero ddim yn agos at Cyrnol Meredith. Arhosodd yn y cefn gyda'r rhedwyr hynaf.

Trodd un ohonyn nhw at yr athro a dweud:

"Fe ddylech chi fod yn y rheng flaen. Rydych chi'n ifanc, rydych chi'n edrych yn ffit iawn, a dydych chi ddim yn cario pwysau o gwbl."

Cododd Mr Prothero ei ysgwyddau.

"Rydw i yn y ras er mwyn codi arian i'r apêl," meddai. "Mae plant yr ysgol yn barod i roi eu harian poced i'r apêl os ydw i'n rhedeg."

"Dydy'r apêl ddim yn mynd yn dda," ebe'r dyn yn drist. "Does dim llawer o arian yng Nghwm Alaw ers i'r pyllau glo gau. Dydw i ddim yn meddwl y byddwn ni'n cyrraedd y targed, a dweud y gwir."

"Athro ydych chi yn yr ysgol 'ma, ie?" gofynnodd gwraig oedd yn sefyll wrth ymyl y dyn.

"Ie," atebodd Mr Prothero. "Ers dechrau'r tymor."

"Ydych chi wedi cwrdd â Cyrnol Meredith?" gofynnodd hi.

"Ydw." Roedd yr athro'n awyddus i sôn am rywbeth arall. "Mae hi'n braf heddiw, on'd yw hi?" meddai.

"Mae'r Cyrnol yn rhedeg yn dda," meddai'r dyn. "Fe ydy'r ffefryn heddiw."

"Ie," cytunodd y wraig. "Ond dydw i ddim yn hoffi'r Cyrnol. Mae'n rhy bwysig o lawer."

Am ddau o'r gloch union cododd Maer Cwm Alaw bistol i'r awyr a gwasgu'r triger.

Crac!

Roedd y ras 10 kilometer wedi cychwyn.

17.

Yn y cyfamser, dair milltir i fwrdd, roedd y Jonesiaid yn chwarae gêmau comando ar lan y nant. Roedd Alun wedi dringo derwen uchel ac roedd e'n saethu at Cefyn a Rhiannon oedd yn ymlusgo trwy'r glaswellt wrth waelod y goeden. Roedd pob plentyn yn cario ffon yn ei law ac yn esgus taw reiffl oedd hi.

"Tac, tac, tac," gwaeddodd Alun o'r goeden. "Rwyt ti wedi marw, Cefyn."

Ond rholiodd ei frawd iau i un ochr a dechreuodd saethu'n ôl.

Roedd wynebau Alun a Rhiannon yn olew i gyd, tra oedd Cefyn wedi tynnu ei grys a pheintio ei gorff a'i freichiau. Roedd 'na linellau duon wedi'u peintio ar ben a chefn Crockett hefyd.

"Rwyt ti wedi marw ers meitin, Rhiannon," gwaeddodd Alun. "Rydw i wedi dy saethu di dair gwaith yn barod."

"Nac wyt, Alun," atebodd ei chwaer. "Tra oeddet ti'n saethu ar Cefyn, fe daflais i fom llaw atat ti."

Yn sydyn, cododd Cefyn ar ei draed a dechreuodd redeg at y dderwen gan igam-ogamu yr holl ffordd. Cyrhaeddodd waelod y goeden a thaflodd ei ddwylo i'r awyr.

"Rwyt ti wedi colli, Alun," gwaeddodd. "Fy nhro i

nesaf."

Ond roedd Rhiannon wedi colli diddordeb yn y gêm. Roedd hi'n edrych o'i chwmpas.

"Ble mae Crockett?" gofynnodd. "Mae e wedi diflannu."

Daeth Alun i lawr o'r canghennau.

"Roedd e yma gynnau fach," meddai wrth ei chwaer.

"Oedd," atebodd Rhiannon. "Ond dydy e ddim yma nawr. Crockett! Crockett!"

Clywodd Crockett y ferch yn gweiddi ei enw, ond chymerodd e ddim sylw. Roedd e wedi clywed cynnwrf yn y pentref ac roedd e eisiau gwybod beth oedd yn digwydd. Felly rhedodd ymlaen nes iddo gyrraedd y ffordd fawr.

Roedd grŵp o bobl yn rhedeg trwy bentref Gilfach ac roedd pŵdl bach prydferth yn eu canol.

Erbyn hyn roedd Jessica'n alaru ar y ras, a phan welodd hi Crockett yn sefyll wrth ochr y ffordd edrychodd arno â diddordeb.

Dyna gi go-iawn, meddyliodd. Mae'n olew ac yn faw i gyd.

"Jessica, aros yma," meddai'r Cyrnol, ond roedd yn rhy hwyr. Aeth y pŵdl i ymuno â'r daeargi, a'r foment nesaf roedd y ddau ohonyn nhw'n diflannu i'r coed.

"Jessica, dere'n ôl!" gorchmynnodd y Cyrnol. "Jessica!"

Doedd gan Cyrnol Meredith ddim dewis. Roedd e'n gwybod y byddai ei wraig Hilda yn ei ladd e petai'n colli'r pŵdl, felly gadawodd y ras a dilyn y cŵn i'r coed.

"Jessica! Jessica!"

Cyrhaeddodd lannerch yn y coed. Roedd y ddau gi yn croesi clwstwr o ganghennau oedd yn gorwedd ar y ddaear o'i flaen e. Rhedodd y Cyrnol ymlaen a syrthiodd yn syth i'r twll lle roedd y Jonesiaid wedi adeiladu eu ffau.

Glaniodd Cyrnol Meredith yn drwm ar ei fola a ffrwydrodd y ddau fag plastig gan wneud sŵn mawr.

Pan glywodd y plant gi'n cyfarth o gyfeiriad y ffau aethon nhw ar unwaith i weld beth oedd yn digwydd.

"Tybed ai Crockett yw e?" gofynnodd Cefyn. "Ydych chi'n meddwl ei fod e wedi dysgu cyfarth o'r diwedd?"

Cyrhaeddon nhw'r llannerch a gwelson nhw'r ddau gi yn sefyll wrth ochr y ffau. Roedd Crockett yn dawel iawn, ond roedd y pŵdl yn gwneud sŵn ofnadwy.

"Mae rhywbeth yn y ffau," meddai Rhiannon wrth ei brodyr. "Mae Crockett a'i ffrind wedi dal anifail gwyllt!"

Cymerodd Alun gam gofalus ymlaen a gwelodd rywbeth yn symud o dan y canghennau. Gwthiodd ei ffon drwy'r twll ac i mewn i asennau'r Cyrnol.

"Aaa..."

Cymerodd Alun gam yn ôl. Roedd y canghennau'n symud. Yna ymddangosodd pen drwy'r twll. Roedd gwallt y dyn yn borffor disglair ac roedd ei wyneb yn oren.

"Gwallgofddyn yw e," gwaeddodd Alun.

"Anghenfil yw e," gwaeddodd Cefyn.

Ond roedd Rhiannon yn nabod yr wyneb yna, er gwaethaf y sudd oren a'r Ribena.

"Cyrnol Meredith yw e," sibrydodd. "Rhedwch!"

Ym mhob pentref ar y ffordd roedd plant yr ysgol gynradd yn annog Mr Prothero i redeg yn gyflymach.

Wel, pam lai? meddyliodd o'r diwedd. Does dim rhaid i fi orffen y ras yn olaf. Fe geisia i ddod yn ail, ar ôl Cyrnol Meredith.

Dechreuodd basio'r rhedwyr eraill yn ddidrafferth. Roedd e'n rhedeg yn gyflym iawn ac yn teimlo'n dda.

Diawl, meddai wrtho'i hunan. Rhaid fod y Cyrnol yn ffit. Rydw i bron â chyrraedd yr ysgol ac mae e wedi gorffen y ras yn barod.

Cyrhaeddodd glwyd yr ysgol a safodd y bobl i gyd a'i gymeradwyo.

"Da iawn, Mr Prothero," meddai Mrs Hunt. "Fe fydd plant yr ysgol yn falch iawn ohonoch chi."

"Wel, dim ond ail oeddwn i," atebodd yr athro'n swil.

"Ail?" meddai Mrs Hunt. "Ond chi yw'r enillydd, Mr Prothero!"

Edrychodd yr athro o'i gwmpas yn syn. Roedd pawb yn gwenu, ac eithrio Mr James y Prifathro.

18.

Aeth y stori am Cyrnol Meredith a ffau'r Jonesiaid o gwmpas Ysgol Gynradd Cwm Alaw fel tân gwyllt. Cwynodd y Cyrnol yn swyddogol wrth Mr James y Prifathro. Roedd Cyrnol Meredith eisiau gwybod enwau'r disgyblion oedd yn byw ym mhentref Gilfach.

Ond y tro hwn roedd Mr James yn gadarn.

"Dydw i ddim yn gyfrifol am blant yr ysgol dros y penwythnos," ysgrifennodd mewn llythyr at y Cyrnol. "Ar ben hynny, mae mwy nag un ysgol yn y cwm. Petai disgrifiad manwl o'r plant gennych chi, efallai y byddwn i'n gallu eich helpu chi, ond..."

Wrth gwrs, doedd y Cyrnol ddim yn gallu rhoi disgrifiad synhwyrol o'r plant gan fod eu hwynebau'n olew i gyd ar ddiwrnod y ras. Felly roedd rhaid iddo anghofio'r plant a chanolbwyntio ei sylw ar ei hen elyn, yr athro oedd wedi ennill y ras.

Prothero, meddai wrtho'i hunan. Prothero bob tro. Wel, fydd yr athro 'na byth yn cael swydd barhaol yn Ysgol Gynradd Cwm Alaw!

Yn y cyfamser, aeth wythnosau lawer heibio, ac apêl Jennifer Edwards yn dal heb gyrraedd y targed.

"Dim ond tair wythnos i fynd," meddai Mr James wrth y staff. "A llai na deugain mil o bunnau wedi'u casglu. Sut y gall pobl y cwm lwyddo i godi mwy nag ugain mil o bunnau eto cyn diwedd mis Gorffennaf?"

"Fe fyddwn ni'n cynnal Gŵyl yr Ysgol cyn diwedd y tymor," atebodd Mrs Hunt. "Beth am inni roi elw'r Ŵyl i'r apêl?"

Cytunodd pob un o'r staff. Roedd yn syniad da.

"O'r gorau," meddai'r Prifathro. "Ond cofiwch, dim ond rhyw ddau neu dri chant o bunnau mae'r Ŵyl yn arfer eu codi."

"Felly fe fydd rhaid inni wneud mwy o ymdrech eleni,"

meddai Mrs Hunt, ond doedd hi ddim yn hyderus chwaith.

Ymhen yr awr galwodd Mr James ar Mr Prothero i ddod i'w swyddfa.

"Dewch i mewn, Mr Prothero. Eisteddwch," meddai Mr James. "Rydw i eisiau trafod wythnos olaf y tymor."

Eisteddodd yr athro. Roedd e'n edrych yn nerfus. Oedd y Prifathro'n mynd i'w ddiswyddo?

"Ar ddydd Llun olaf y tymor fe fyddwn ni'n cynnal Gŵyl yr Ysgol," meddai Mr James. "Ac ar y dydd Gwener fe fydd y llywodraethwyr yn cwrdd yn yr ysgol i benderfynu eich dyfodol chi, Mr Prothero."

Meddyliodd Mr Prothero am foment.

"Felly...felly fe fydd rhaid i fi wneud argraff dda yn ystod yr Ŵyl," meddai.

Siglodd y Prifathro ei ben yn araf.

"Rydych chi'n athro da, Mr Prothero," meddai. "Rydw i eisiau eich cadw chi ar y staff."

"O diolch, Mr James. Fe geisia i..."

"Felly, rydw i eisiau ichi gadw bant o'r Ŵyl."

"Cadw bant?" Doedd yr athro ddim yn deall.

"Ie, Mr Prothero," eglurodd Mr James. "Dyn anlwcus ydych chi, ac rydych chi'n siŵr o gael rhagor o drafferth gyda Cyrnol Meredith os ewch chi i'r Ŵyl. Ond mae cynllun arall 'da fi."

"Beth, Mr James?"

"Wel, rydw i'n fodlon talu hanner canpunt i'r apêl os ewch chi â'r Jonesiaid yna am dro hir dros y mynyddoedd ar ddiwrnod yr Ŵyl."

Taniodd Mr James ei bib a syllodd ar Mr Prothero.

"Dych chi'n gweld, Mr Prothero," meddai. "Hebddoch chi a heb y Jonesiaid, rwy'n siŵr y bydd yr Ŵyl yn llwyddiannus iawn!"

19.

Ar ddiwrnod yr Ŵyl cychwynnodd Mr Prothero, Rhiannon, Alun, Cefyn a Crockett y ci ar eu taith hir dros y mynyddoedd. Byddai'n rhaid iddyn nhw gerdded deuddeg milltir cyn yr hwyr ond doedd y Jonesiaid ddim yn ddigalon o gwbl.

"Doedden ni ddim eisiau mynd i'r Ŵyl," eglurodd Rhiannon wrth Mr Prothero tra oedden nhw'n dringo llethr. "Y llynedd fe aeth un o'r pebyll ar dân ac fe roddon nhw'r bai ar Cefyn."

"Do," meddai ei brawd iau. "A dim ond helpu i gynnau stof oeddwn i. Pwy fyddai wedi meddwl bod pabell yn gallu llosgi mor gyflym?"

Siglodd Cefyn ei ben yn drist fel petai'r byd i gyd yn ei erbyn.

"Welsoch chi'r newyddion ar y teledu neithiwr, Syr?" gofynnodd Alun yn sydyn.

"Naddo," atebodd yr athro. "Roeddwn i'n rhy brysur yn gwneud brechdanau ar gyfer heddiw."

"Wel, roedden nhw'n sôn am ladrad gemau yn Llundain," ebe Alun. "Fe aeth dyn i mewn i siop a gofyn i'r perchennog ddangos breichled aur iddo fe. Tra oedden nhw'n trafod pris y freichled fe ddaeth ei bartner i mewn i'r siop a dwyn gemau gwerthfawr. Fe aethon nhw allan o'r siop heb i'r perchennog sylweddoli beth oedd wedi digwydd."

"Roedd y gemau'n werth chwarter miliwn o bunnau," meddai Rhiannon. "Mae'n rhyfedd meddwl bod pobl Cwm Alaw yn methu codi digon o arian i apêl Jennifer Edwards tra bod lladron yn gallu dwyn ffortiwn yn Llundain."

"Mae'n eironig," meddai Mr Prothero.

"Ydy, Syr," cytunodd Cefyn, er nad oedd e'n deall ystyr y gair o gwbl.

Ddwy awr yn ddiweddarach gwelson nhw hofrennydd yn hedfan yn isel uwch y mynydd. Chwifiodd y plant eu breichiau a chododd y peilot ei law mewn saliwt.

"Mae'n amser inni stopio a chael rhywbeth i'w fwyta," meddai Mr Prothero, oedd yn cario bag mawr ar ei gefn.

Eisteddon nhw ar y glaswellt ac agorodd Mr Prothero y sach. Rhoddodd frechdanau i'r plant, heb anghofio'r ci, ac yna tynnodd radio transistor allan o'r sach.

"Gadewch inni wrando ar y newyddion," meddai wrth y plant.

Cafodd yr athro sioc i glywed sôn am y lladrad gemau yn Llundain ar ddechrau'r rhaglen.

"Mae'r chwilio am y ddau leidr wedi symud i Gymru," meddai'r cyhoeddwr, "ers i'r heddlu ganfod car wedi'i barcio ar ffordd unig yn y mynyddoedd ger Cwm Alaw. Dydy Scotland Yard ddim wedi cyhoeddi manylion, ond fe deithiodd tîm o dditectifs o Lundain i Gymru yn gynnar y bore 'ma."

Yna aeth y cyhoeddwr ymlaen i ddarllen gweddill y newyddion.

"O, gobeithio y byddwn ni'n cwrdd â'r lladron," meddai Cefyn yn gyffrous. "Fe fydden ni'n siŵr o gael gwobr petaen ni'n eu dal nhw."

Roedd llygaid y plant yn disgleirio. Ond roedd Mr Prothero'n teimlo'n nerfus. Doedd e ddim eisiau trafferth gydag unrhyw leidr; ond roedd e'n gwybod yn iawn taw trafferth oedd enw canol y Jonesiaid!

20.

"Fe fyddai'n llawer gwell 'da fi fod yn ôl yn Bethnal Green," meddai John "Fingers" Gillard wrth ei bartner, "Slippery" Sam Langford. "Fe fydd y mynyddoedd 'ma'n fy lladd i cyn bo hir."

Roedd y ddau leidr yn cuddio y tu ôl i graig fawr tra oedd hofrennydd yr heddlu yn hedfan heibio'n araf.

"Maen nhw'n mynd," meddai Slippery Sam o'r diwedd. "Ar dy draed, Fingers, a phaid â chwyno."

"Wel, caria di'r bag am sbel 'te," awgrymodd Fingers. "Mae'r gemau'n drwm iawn. Mae fy mraich i'n mynd i gwympo i ffwrdd unrhyw foment."

Wedi trosglwyddo'r bag fe ddringon nhw eto nes cyrraedd copa'r mynydd.

"Edrycha," meddai Slippery Sam. "Wyt ti'n gweld grŵp o bobl yn y pellter?"

Trodd ei bartner ei ben i weld.

"Ydw," atebodd. "Ond dim ond plant ydyn nhw."

"Mae un dyn tal gyda nhw," meddai Sam. "Tybed ai plismon yw e?"

"Wn i ddim," atebodd Fingers gan godi ei ysgwyddau. "Mae'n bosibl."

Eisteddodd Slippery Sam yn drwm ar y glaswellt.

"Mae'n anobeithiol fel hyn," meddai. "Mae'r gemau'n rhy drwm. Bydd rhaid inni gael gwared ohonyn nhw dros dro."

"Bydd," cytunodd Fingers. "Ond sut?"

"Fe allen ni eu cuddio nhw mewn agen yn y mynydd, a dod i'w nôl nhw'n hwyrach heno."

"Ond mae rhai agennau'n ddwfn iawn," ebe Fingers. "Fe fyddwn ni'n eu colli nhw, os na fyddwn ni'n ofalus."

"Fe chwiliwn ni am agen a silff ynddi, lle bydd y gemau'n ddiogel," atebodd Slippery Sam. "Paid â phoeni, Fingers, rydw i wedi meddwl am bopeth."

21.

Rhwbiodd Mr Prothero ei lygaid. Roedd e wedi bod yn cysgu. Roedd yr haul yn dwym ar ei wyneb, ac roedd y glaswellt yn gyffyrddus o dan ei gorff. Cododd ar un penelin a gwelodd Rhiannon yn eistedd ar y glaswellt gerllaw.

"Rydw i wedi bod yn cysgu," meddai Mr Prothero.

"Rwy'n gwybod," atebodd y ferch. "Roeddech chi'n

chwyrnu am sbel."

Edrychodd yr athro ar ei wats.

"Hanner awr wedi tri," meddai'n syn. "Does bosib!"

"Roeddech chi'n cysgu mor drwm," meddai Rhiannon, "fe benderfynon ni fynd am dro ar hyd y grib."

Edrychodd yr athro o'i gwmpas.

"Ble mae'r bechgyn?" gofynnodd.

"Draw acw, ger y creigiau," atebodd y ferch. "Maen nhw'n chwarae 'da Crockett. Maen nhw'n ceisio gwneud iddo fe gyfarth ond wnaiff e ddim."

Yn sydyn clywson nhw'r bechgyn yn gweiddi:

"Help, Mr Prothero! Help!"

I ddechrau roedd yr athro'n credu bod y plant yn ceisio ei dwyllo, ond cododd Rhiannon yn gyflym a dechrau rhedeg i gyfeiriad y creigiau.

"Diawch," meddai Mr Prothero gan neidio ar ei draed. "Beth sy'n bod nawr?"

Rhedodd at y ddau fachgen.

"Mae Crockett wedi syrthio i'r agen," ebe Alun. "Doedden ni ddim yn gallu ei rwystro."

Edrychodd yr athro i mewn i'r agen. Roedd hi'n ddwfn iawn ond roedd cyfres o silffoedd yn ei wal hi. Roedd Crockett wedi bod yn lwcus; roedd e wedi glanio ar y silff agosaf. Yn lle crio, roedd y ci yn gwthio ei drwyn i mewn i fag lledr oedd yn gorwedd ar y silff wrth ei ochr.

"Crockett," gwaeddodd Rhiannon yn ofnus. "Paid â symud!"

Ond doedd y ci ddim yn talu sylw. Roedd e'n ceisio agor y bag lledr â'i drwyn a'i bawennau.

"Fe fydd rhaid i fi fynd i lawr i nôl y ci," meddai Mr Prothero dan ochneidio.

"O, na," protestiodd Alun. "Fe a' i. Fi piau'r ci."

"Fe ddof i gyda thi, Alun," meddai Cefyn yn ddewr, ond siglodd Mr Prothero ei ben.

"Rydych chi'n rhy fach," meddai wrthyn nhw. "Fe fydd rhaid i rywun tal fel fi fynd i lawr a chodi'r ci i chi."

"Byddwch yn ofalus," rhybuddiodd Rhiannon. "Mae'r agen yn edrych yn ddwfn iawn."

Tra oedd yr athro'n dringo i mewn i'r agen ni pheidiodd y plant â rhoi cyngor iddo.

"Mwy i'r chwith, Mr Prothero...Arafwch, Mr Prothero ...Estynnwch eich coes, Mr Prothero. Rydych chi bron â chyrraedd y silff."

O'r diwedd roedd yr athro'n sefyll ar y silff.

"Dere 'ma Crockett," meddai, a gadawodd y ci y bag a dod ato'n ufudd.

Estynnodd yr athro ei ddwylo a gafaelodd yn Crockett.

"Wyt ti'n barod, Alun?" gofynnodd.

"Ydw, Syr."

Cododd Mr Prothero y ci i'r awyr a'i estyn at Alun.

"'Na ti," meddai'r bachgen yn hapus. "Rwyt ti'n ddiogel nawr, Crockett."

Rhoddodd e'r ci i lawr ar y glaswellt a rhedodd Crockett yn syth at Rhiannon.

Yn y cyfamser roedd Mr Prothero'n agor y bag lledr.

"Beth sy ynddo fe?" gofynnodd Cefyn.

"Wn i ddim, ond mae'n drwm iawn," atebodd yr athro. "Arhosa am foment, rwy'n mynd i...Oooo...!"

Teimlodd Mr Prothero y silff yn torri o dan ei bwysau. Ceisiodd afael yn wal yr agen, ond yn rhy hwyr. Roedd e'n syrthio i mewn i'r dyfnder tywyll!

22.

Roedd Cyrnol Harri Meredith wrth ei fodd yn agor Gŵyl yr Ysgol. Roedd yn gwisgo ei ddillad milwrol ac roedd rhes o fedalau arian ar ei frest.

Dim ond un peth oedd yn poeni'r Cyrnol. Roedd e wedi anghofio dod â'i gamera i'r Ŵyl.

"Mae'n drueni," meddai wrth ei wraig, Hilda. "Fe fyddet ti wedi gallu tynnu fy llun tra oeddwn i'n cwrdd â'r Maer a chynghorwyr y cwm."

"Wel, mae camera 'da Mrs Hunt," atebodd Hilda. "Efallai y gwnaiff hi dynnu dy lun di."

Ymhen pum munud roedd y Cyrnol wedi trefnu popeth. Byddai Mrs Hunt yn ei ddilyn o gwmpas gan dynnu llun ohono o bryd i'w gilydd.

"Wrth i fi siarad â phobl bwysig, wrth gwrs," meddai Cyrnol Meredith wrth y ddirprwy-brifathrawes.

"Wrth gwrs, Cyrnol," atebodd Mrs Hunt yn sych.

Doedd Mrs Hunt ddim yn hoffi'r Cyrnol o gwbl, ond gan mai ef oedd cadeirydd llywodraethwyr yr ysgol roedd yn rhaid iddi gytuno ag ef.

Am hanner awr wedi pedwar daeth dau ddieithryn drwy glwyd yr ysgol. Roedd John Fingers Gillard a Slippery Sam Langford wedi penderfynu y byddai'n well iddyn nhw guddio mewn tyrfa o bobl yng Ngŵyl yr Ysgol yn hytrach na chrwydro strydoedd gwag Tref Alaw.

"Mae'n rhaid inni sgwrsio â phobl ac ymddwyn yn naturiol," meddai Slippery Sam wrth ei bartner. "Wyt ti'n gweld y milwr 'na sy'n sefyll ger y stondin candi fflos?"

"Ydw," atebodd Fingers. "Mae e'n edrych yn dwp."

"Gobeithio dy fod ti'n iawn, Fingers," meddai Slippery Sam. "Fe awn ni i gael gair ag ef."

Aethon nhw draw at Cyrnol Meredith.

"Esgusodwch fi, Syr," meddai Slippery Sam yn barchus. "Dynion busnes o Loegr ydyn ni, ac rydyn ni'n bwriadu codi ffatri yng Nghwm Alaw."

"Ydych chi?" meddai Cyrnol Meredith â diddordeb. "Wel, gadewch i fi eich cyflwyno chi i bobl bwysig y cwm. Maen nhw i gyd yn ffrindiau i fi. A, dyna faer y cwm, er enghraifft."

Ar eu ffordd i gwrdd â'r Maer, soniodd Cyrnol Meredith am yr Ŵyl, am apêl Jennifer Edwards ac, wrth gwrs, amdano ef ei hunan. Stopiodd y Cyrnol hefyd wrth stondin a phrynu hufen iâ i'r ddau leidr.

"John," meddai Slippery Sam wrth Fingers gan wincio. "Rydyn ni ymhlith ffrindiau yma yng Nghwm Alaw!"

23.

Roedd Cwnstabl Dai Griffiths o swyddfa heddlu Tref Alaw wedi cael diwrnod ofnadwy. Roedd dau dditectif o Scotland Yard wedi cyrraedd Cwm Alaw am ddeg o'r gloch y bore.

Dau ddyn hollol wahanol oedden nhw: roedd Sarjant Cole yn ddyn hyfryd, ond roedd yr Arolygydd Braithwaite yn ddyn cas. Roedd Braithwaite yn gweiddi gorchmynion trwy'r amser ac roedd e'n trin Cwnstabl Dai Griffiths fel ffŵl.

Roedd yn amlwg nad oedd yr arolygydd yn gwerthfawrogi ei bartner, Sarjant Cole, chwaith.

"Dydych chi byth yn meddwl, Cole," meddai Braithwaite dro ar ôl tro. "Ac mae'r heddlu lleol yn anobeithiol. Alla i ddim dibynnu ar neb."

A dweud y gwir, roedd Cwnstabl Dai Griffiths a'r ddau blismon arall o swyddfa heddlu Tref Alaw wedi bod yn gweithio'n galed trwy'r dydd. Tra oedd Sarjant Cole yn hedfan uwch eu pennau yn yr hofrennydd roedd y tri phlismon wedi dringo mynyddoedd a chroesi nentydd er mwyn dod o hyd i'r lladron.

Yn y cyfamser roedd yr Arolygydd Braithwaite wedi treulio'r dydd mewn ystafell gyffyrddus, ond pan ddaethon nhw'n ôl i swyddfa'r heddlu, rhoddodd Braithwaite groeso oeraidd iddyn nhw.

"Beth?" meddai wrthyn nhw'n wawdlyd. "Rydych chi wedi treulio chwe awr ar y mynydd heb weld dim byd?"

Yna trodd yr arolygydd at Sarjant Cole.

"A chi, Cole," meddai'n grac. "Ydych chi'n gwybod faint mae'n ei gostio i logi hofrennydd y dyddiau hyn? Ydych chi'n disgwyl i fi gredu fod y lladron a'r gemau wedi diflannu?"

Edrychodd Sarjant Cole ar y llawr fel plentyn drwg.

Cododd Braithwaite o'i gadair ac aeth i agor ffenestr.

"Beth ydy'r miwsig 'na?" gofynnodd yn sydyn.

"Mae gŵyl yn yr ysgol gynradd, Syr," atebodd Cwnstabl Dai Griffiths. "Dyna pam mae strydoedd y dref mor dawel heddiw."

Meddyliodd yr arolygydd am foment.

"Rhaid i fi siarad â phobl y dref," meddai. "Rhaid iddyn nhw gadw eu llygaid ar agor."

Roedd Sarjant Cole a'r tri phlismon lleol newydd eistedd i lawr. Roedden nhw'n flinedig iawn.

"Ar eich traed," gorchmynnodd Braithwaite yn llym. "Rydych chi wedi gwastraffu digon o amser yn barod!"

24.

Pan welodd Fingers Gillard yr Arolygydd Braithwaite, Sarjant Cole a'r tri phlismon lleol yn cerdded trwy glwyd yr ysgol roedd e bron â chael trawiad.

"Sam," meddai'n nerfus wrth ei bartner. "Mae 'Bully Boy' Braithwaite o'r Yard newydd gerdded trwy'r glwyd! Bydd rhaid inni guddio."

Bydd, meddyliodd Slippery Sam. Ond ble?

Wrth lwc roedd Cyrnol Meredith wedi crwydro oddi wrthynt am funud. Edrychodd Sam o'i gwmpas a gweld arwydd BOUNCY CASTLE.

"Awn ni i weld y castell," meddai wrth ei bartner. "A phaid â phoeni. Mae'r Braithwaite 'na'n rhy araf i ddal annwyd yn y gaeaf!"

Pan ddaeth Cyrnol Meredith yn ôl roedd y ddau "ddyn busnes" wedi diflannu. Ond roedd pobl eraill yn aros amdano.

"Esgusodwch fi, Cyrnol," meddai Cwnstabl Dai Griffiths. "Gaf i gyflwyno dau dditectif o Scotland Yard ichi. Dyma'r Arolygydd Braithwaite, a dyma Sarjant..."

"Rydyn ni'n chwilio am giang o ladron," meddai Braithwaite.

"A, y lladron a adawodd y car yn y mynyddoedd," meddai'r Cyrnol, oedd wedi clywed y newyddion ar y teledu.

"Ie," atebodd yr arolygydd. "Roedd dau fwstás ffug a *toupee* ar seddau'r car, ac roedd y car yn debyg i'r un oedd wedi'i barcio o flaen siop gemau yn Hatton Gardens yn ystod y lladrad."

"Ydych chi'n hyderus y byddwch chi'n eu dal nhw?" gofynnodd Cyrnol Meredith.

Siglodd Braithwaite ei ben yn drist.

"Nac ydw, Cyrnol," atebodd. "Mae eich heddlu lleol yn araf iawn, a dydw i ddim yn gallu dibynnu ar fy mhartner, Sarjant Cole, o gwbl."

Aeth wyneb Cole yn goch ond sylwodd yr arolygydd ddim arno fe.

"Mae'n rhaid i fi wneud popeth fy hunan," ochneidiodd Braithwaite. "Felly rydw i'n arfer gweithio dan bwysau trwy'r amser."

Tra oedd e'n siarad, daeth Mrs Hunt heibio gan ddal llaw bachgen bach oedd yn wylo ac yn rhwbio ei goesau.

"Beth sy'n bod arno fe?" gofynnodd Cyrnol Meredith

i'r ddirprwy-brifathrawes.

"Mae'n cwyno fod lympiau caled o dan lawr y castell," esboniodd Mrs Hunt.

"Maen nhw'n boenus," ebe'r bachgen bach trwy ei ddagrau. "Ac maen nhw'n symud o le i le!"

"Lympiau sy'n symud..." meddai Sarjant Cole yn gyffrous. Trodd at Braithwaite. "Syr," meddai, "ydych chi'n meddwl...?"

"Cole!" atebodd Braithwaite yn llym. "Ydych chi ddim yn deall seicoleg plant bach? Mae ganddyn nhw ddychymyg byw iawn."

"Mae dau blentyn bach 'da fi, Syr," meddai Cole.

"Dydw... dydw i ddim yn sôn am blant, Cole," meddai'r arolygydd yn gas. Doedd e ddim yn hoffi i neb anghytuno ag ef. "Rydw i'n sôn am seicoleg."

"Mrs Hunt! Mrs Hunt!"

Trodd y ddirprwy-brifathrawes ei phen a gweld Alun a Cefyn Jones yn dod ati hi. Roedd eu hwynebau'n chwys i gyd. Roedd yn amlwg eu bod nhw wedi bod yn rhedeg.

"Beth sy'n bod?" gofynnodd Mrs Hunt.

"Mae...mae..." Roedd Alun Jones yn anadlu'n drwm. "Mae Mr Prothero wedi syrthio i mewn i agen yn y graig," meddai o'r diwedd. "Mae Rhiannon a Crockett wedi aros gyda fe, ac rydyn ni wedi rhedeg yr holl ffordd i nôl help."

Syllodd Cyrnol Meredith ar y ddau fachgen. Oedd e wedi'u gweld nhw o'r blaen? Doedd e ddim yn siŵr.

"Fe fydd rhaid inni fynd i nôl rhaff," meddai Cwnstabl Dai Griffiths. "Mae rhai agennau'n ddwfn iawn." Trodd at y ddau blismon lleol. "Mae'n ddrwg gen i," meddai wrthyn nhw. "Ond fe fydd rhaid inni ddringo mynydd eto."

Roedd yr argyfwng newydd wedi gwneud i Dai a'i ffrindiau anghofio'r lladron gemau.

"Gaf i ddod gyda chi?" gofynnodd Sarjant Cole yn sydyn.

Edrychodd Dai Griffiths arno fe ac yna ar yr Arolygydd Braithwaite.

"Mae angen dynion arnon ni, Syr," meddai'n syml.

Cododd Braithwaite ei ysgwyddau. Roedd e wedi colli diddordeb yng Nghwm Alaw a'i bobl.

"Mae'r trên olaf yn ymadael am Lundain am wyth o'r gloch, Cole," meddai wrth y Sarjant. "Os ydych chi'n hwyr fe deithia i i Lundain ar fy mhen fy hun. Dydw i ddim am dreulio'r noson yng Nghymru. Mae'r lladron yn siŵr o fod yn bell i ffwrdd erbyn hyn."

"Diolch, Syr," atebodd Cole. "Fe geisia i gyrraedd mewn pryd."

Ond yn ei galon roedd y Sarjant yn gobeithio y byddai'n colli'r trên ac yn treulio'r noson yn bell o Lundain, o Scotland Yard ac o olwg yr Arolygydd Braithwaite.

25.

Edrychodd Rhiannon yn bryderus ar y gorwel. Roedd yr haul wedi machlud ac roedd y gwynt yn oer ar ei hwyneb. Ar ben popeth roedd niwl a glaw yn disgyn ar grib y mynydd. Rhoddodd y ferch ei llaw ar ben Crockett, oedd yn gorwedd yn dawel yn ei hymyl hi.

"Paid â phoeni," meddai hi wrth y daeargi bach. "Fyddan nhw ddim yn hir." Ond doedd ei llais hi ddim yn hyderus o gwbl.

"Beth...?" gofynnodd Mr Prothero, oedd wedi glanio ar silff is yn yr agen.

Edrychodd Rhiannon i lawr ar yr athro. Roedd e'n eistedd ar y silff gul ac yn dal y bag lledr yn ei law.

"O, dim byd," atebodd hi. "Roeddwn i'n siarad gyda Crockett, dyna'r cwbl."

Roedd Mr Prothero'n teimlo mor nerfus â Rhiannon ond am reswm arall. Roedd e'n gwybod erbyn hyn bod y bag lledr yn cynnwys gemau gwerthfawr. Fyddai'r lladron yn dod yn ôl heno i chwilio am eu trysor?

Ddywedodd e ddim gair wrth Rhiannon am hyn. Doedd e ddim eisiau rhoi braw iddi.

"Mr Prothero!" meddai'r ferch yn sydyn.

"Ie?"

"Mae rhywun yn dod."

"Pwy?"

"Wn i ddim, ond mae dau ohonyn nhw."

Cyn i'r athro allu rhoi rhybudd iddi hi, cododd y ferch ar ei thraed.

"Fan yma," gwaeddodd hi gan siglo ei breichiau yn yr awyr. "Fan yma...!"

"Mae hi'n mynd yn dywyll," meddai Sarjant Cole wrth Cwnstabl Dai Griffiths pan gyrhaeddodd y grŵp o blismyn a phlant gopa'r mynydd.

"Ydy," atebodd Dai. "Lwcus bod tors gyda ni."

Trodd at y ddau fachgen.

"Pa gyfeiriad nawr?" gofynnodd.

Ceisiodd Alun Jones weld trwy'r niwl.

"Fan yna, rwy'n meddwl," meddai, ond ar yr un pryd roedd ei frawd Cefyn yn troi i gyfeiriad arall.

"Nage, Alun. Fan yna," meddai Cefyn.

Rhwbiodd Sarjant Cole y chwys a'r glaw oddi ar ei dalcen.

"Efallai y bydd yn well inni rannu'n ddau grŵp," meddai wrth Dai Griffiths. "All y ddau fachgen ddim bod yn iawn!"

26.

"Rheda, Rhiannon," gwaeddodd Mr Prothero. "Cer â Crockett gyda ti."

"Ond pam?" gofynnodd y ferch yn syn. "Efallai bydd y ddau ddyn 'na'n gallu ein helpu ni."

"Ac efallai taw lladron ydyn nhw," meddai'r athro. "Mae'r bag 'ma'n llawn o emau. Nawr, rheda!"

Ond yn lle rhedeg i ffwrdd, siglodd y ferch ei phen.

"Wna i mo'ch gadael chi, Syr," meddai hi'n bendant.

Erbyn hyn roedd y ddau leidr wedi cyrraedd yr agen. Trodd Rhiannon i'w hwynebu a gwenodd Slippery Sam arni'n ddymunol.

"Rydyn ni wedi colli bag lledr," meddai wrthi. "Mae'n

bwysig ein bod yn ei gael e'n ôl."

Edrychodd Fingers Gillard i lawr yr agen.

"Sam," meddai. "Mae dyn yn y twll 'ma, ac mae e wedi canfod y gemau."

"Gan bwyll, Fingers," atebodd Slippery Sam. "Rwy'n siŵr y bydd e'n rhesymol."

Cododd ei lais er mwyn gwneud yn siŵr bod Mr Prothero yn ei glywed e.

"Taflwch y bag i fyny," gorchmynnodd. "Wedyn fe helpwn ni chi i ddod o'r twll 'na."

Ond doedd Mr Prothero ddim mor dwp â hynny.

"Helpwch fi i godi o'r agen gyntaf," atebodd. "Ac yna fe drafodwn ni'r gemau."

Trodd Fingers at Slippery Sam.

"Rydyn ni'n gwastraffu amser," meddai'n grac. "Os na fydd e'n cydweithredu rwy'n mynd i daflu'r ferch i mewn i'r twll ato fe!"

Camodd Fingers ymlaen ond roedd Crockett yn rhy gyflym iddo.

Rhedodd y ci bach o flaen Rhiannon a dangos ei ddannedd i'r lleidr.

"Cymer ofal, Fingers," rhybuddiodd Slippery Sam. "Mae'r ci 'na'n edrych yn ffyrnig."

Meddyliodd Fingers am foment.

"Dal y ferch o'r tu ôl, Sam," meddai, "tra bydd y ci'n canolbwyntio arna i."

Gwelodd Crockett yr ail leidr yn symud i'r chwith, a dechreuodd ei ddilyn, ond yna cymerodd Fingers Gillard gam ymlaen hefyd.

Roedd Crockett mewn penbleth. Doedd e ddim yn gallu amddiffyn y ferch yn erbyn dau elyn ar yr un pryd.

"Crockett!" gwaeddodd Rhiannon yn nerfus gan weld Slippery Sam yn dod ati hi.

Gwelodd Fingers y ci bach yn petruso.

"Dos ymlaen, Sam," meddai. "Fydd y ci ddim yn dy boeni di."

Ond yna cododd Crockett ei drwyn i'r awyr a dechreuodd ei ffroenau grynu. Roedd y gwynt yn dweud stori wrth y daeargi. Roedd Alun a Cefyn ar eu ffordd yn ôl ac roedd pobl eraill gyda nhw.

Siglodd y ci ei gynffon a chrio'n gyffrous. Symudodd o gwmpas Rhiannon fel petai'n gwneud ryw ddawns ryfedd, ac yna cododd ei ben i'r awyr a dechreuodd gyfarth fel Rottweiler...

"Gwrandewch!" meddai Cwnstabl Dai Griffiths wrth Sarjant Cole a Cefyn. "Mae ci yn cyfarth draw fan acw."

"Dydy Crockett ddim yn cyfarth," protestiodd Cefyn, ond chymerodd y ddau blismon ddim sylw.

"Gadewch inni fynd," ebe Sarjant Cole. "Mae'r ci yna'n mynd yn wallgof!"

Dechreuodd y ddau blismon redeg a dilynodd Cefyn nhw gan weiddi: "Rhiannon, Crockett...Crockett, Rhiannon!"

Yna gwelodd Sarjant Cole rywun yn symud yn y niwl. Roedd Slippery Sam wedi clywed eu lleisiau ac roedd e'n ceisio rhedeg i ffwrdd.

"Stop!" gwaeddodd y Sarjant. "Heddlu!"

Rhwbiodd Cwnstabl Dai Griffiths ei lygaid. Roedd merch fach a dyn mawr yn reslo ar y llawr, ac roedd ci'n rhedeg o'u cwmpas gan gyfarth.

"Gadewch lonydd i fy chwaer," gwaeddodd Cefyn yn sydyn gan daflu ei hun ar Fingers Gillard.

Gafaelodd Cwnstabl Griffiths yng ngholer y lleidr a'i dynnu ar ei draed.

"Dewch yma," meddai'n grac wrth y lleidr. "Dydw i ddim yn hoffi pobl sy'n ymosod ar blant bach."

"Hi ymosododd arna i gynta," protestiodd Fingers Gillard mewn llais gwan. Roedd e'n anadlu'n drwm.

Cododd Rhiannon ar ei thraed gan dwtio'i dillad.

"Fe geisiodd e gicio Crockett," meddai hi'n syml. "Dyn drwg yw e."

Yn y cyfamser roedd Alun Jones a'r ddau blismon arall wedi ymddangos trwy'r niwl. Roedden nhw'n gwthio Slippery Sam o'u blaenau.

Trodd Sarjant Cole at Cwnstabl Dai Griffiths.

"Ga i gyflwyno dau leidr enwog o Lundain ichi, Cwnstabl?" meddai. "Dyma Slippery Sam Langford o Stepney, a John Fingers Gillard o Bethnal Green."

Gwenodd Cwnstabl Griffiths ar y ddau leidr.

"Mae'n dda gen i gwrdd â chi," meddai wrthyn nhw. "Croeso i Gymru!"

27.

Canodd y ffôn bedair gwaith cyn i'r Arolygydd Braithwaite godi ei ben oddi ar y glustog. Roedd e wedi dychwelyd i'w fflat yn Chelsea yn oriau mân y bore ar ôl y daith hir o Gwm Alaw ac roedd e'n flinedig iawn.

Cododd y derbynnydd.

"Ie?" gofynnodd.

"Lawson yma," meddai llais siarp ar ben arall y lein, a neidiodd Braithwaite o'r gwely.

"O, bore da, Brif Arolygydd," meddai. "Roeddwn… roeddwn i'n cymryd cawod pan glywais i'r ffôn yn canu."

"Wel, Braithwaite," ebe Lawson. "Rhaid ichi ddod i Scotland Yard ar unwaith i drafod eich taith i Gymru ddoe."

"Ond, Syr," protestiodd Braithwaite gan ddylyfu gên. "Does dim byd i'w drafod. Roedd y trip i'r twll bach 'na, Cwm Alaw, yn wastraff amser."

Bu moment o ddistawrwydd ar y lein, yna:

"Gwastraff amser, Braithwaite? Ydych chi wedi drysu? Ydych chi ddim yn gwybod bod y lladron gemau wedi cael eu harestio?"

"Cael eu harestio, Syr...Ond gan bwy?"

"Gan Sarjant Cole a heddlu'r cwm, wrth gwrs. Fe gawson nhw help gan dri phlentyn a daeargi."

Allai'r Arolygydd Braithwaite ddim credu ei glustiau. Roedd yr heddlu lleol mor dwp.

"Ydych...ydych chi'n siŵr, Syr?" gofynnodd mewn llais gwan.

"Siŵr, Braithwaite?" gwaeddodd y Prif Arolygydd Lawson. "Dydy'r teledu, y radio a'r papurau newydd ddim yn sôn am ddim byd arall y bore 'ma. Ydych chi ddim wedi deffro eto, Braithwaite?"

Roedd Braithwaite mewn sioc o hyd.

"Fe...gysyllta i â Sarjant Cole ar unwaith, Syr," meddai. "Fe ddylai fod yn ôl yn Scotland Yard erbyn hyn."

"Nac ydy," ebe'r Prif Arolygydd. "Mae'r Arolygydd Cole yng Nghymru o hyd, a'r carcharorion hefyd."

"Yr...yr *Arolygydd* Cole, ddywetsoch chi, Syr?" Doedd Braithwaite ddim yn deall.

"Ie, Braithwaite," meddai Lawson eto. "Rydw i wedi penderfynu dyrchafu Cole ar unwaith. Mae arnon ni angen o leiaf un arolygydd deallus yn yr adran. Ydych chi ddim yn cytuno, Braithwaite?"

28.

Yn ystod y dyddiau canlynol roedd Rhiannon, Alun, Cefyn a Crockett i'w gweld yn gyson ar y teledu ac yn y papurau newydd. Roedd gohebyddion y *Sun* a'r *Cymro* yn cystadlu'n ffyrnig er mwyn cael cyfweliad â'r Jonesiaid a chyfle i dynnu llun Crockett.

Ar y llaw arall, roedd Mr Prothero yn cuddio yn ei fwthyn ym mhentref Gilfach. Roedd yr athro swil yn casáu pob math o gyhoeddusrwydd ac roedd e wedi gofyn i'r plismyn ac i'r plant i beidio â sôn am ei ran ef yn yr arestiad.

Wrth gwrs, roedd y cyfryngau yn barod i dalu am bob eitem o newyddion ac roedd y Jonesiaid wedi penderfynu y byddai pob ceiniog yn mynd i hyrwyddo apêl Jennifer Edwards. A phan glywodd cwmni yswiriant y siop emau yn Hatton Gardens am yr apêl anfonon nhw siec am ugain mil o bunnau i Ysgol Gynradd Cwm Alaw.

Cyn bo hir roedd posteri ar hyd a lled Cwm Alaw yn cyhoeddi bod yr apêl wedi llwyddo'n wych, ac yna daeth tyrfa arall o ohebyddion i'r ysgol gynradd i weld y Jonesiaid a Crockett yn cyflwyno'r siec i'r ferch fach, Jennifer Edwards.

Ond roedd gan y Prifathro, Mr James, bethau eraill ar ei feddwl.

"Mae llywodraethwyr yr ysgol yn cwrdd heno i drafod dyfodol Mr Prothero," meddai wrth ei ddirprwy-brifathrawes. "Yn anffodus, mae Mr Prothero wedi gwneud i fi addo na fydda i'n sôn am ei ran yn yr arestiad ar y mynydd. A dyna'r unig beth fyddai'n ei achub e, Mrs Hunt!"

Roedd wyneb Mrs Hunt yn ddifrifol. Roedd hi'n gwybod bod Cyrnol Meredith, cadeirydd y llywodraethwyr, yn bendant na fyddai Mr Prothero yn cael aros yn yr ysgol. Doedd y Cyrnol ddim wedi anghofio'r paent ar y tŷ, y gwrtaith yn y car, y ffair sborion a'r ras 10 kilometer.

"Beth am ichi ffonio Cwnstabl Griffiths?" awgrymodd hi. "Efallai y bydd e'n barod i gysylltu â Cyrnol Meredith a dweud yr holl stori wrtho fe."

"Dyna syniad da," meddai'r Prifathro dan wenu. "Fe ffonia i swyddfa'r heddlu ar unwaith."

Ond roedd yn rhy hwyr. Roedd Cwnstabl Griffiths a'r ddau blismon arall wedi dal y trên am Lundain yn gynharach yn y bore. Roedden nhw ar eu ffordd i Scotland Yard i gwrdd â'r Prif Arolygydd Lawson a derbyn ei longyfarchiadau.

Rhoddodd Mr James y ffôn i lawr ac ochneidio'n ddwfn.

"Mae Mr Prothero'n siŵr o golli ei swydd," meddai'n drist. "Rydych chi wedi bod yn ffrind da iddo fe, Mrs Hunt. Wnewch chi alw 'da fe heno ar ôl cyfarfod y llywodraethwyr a rhoi'r newyddion drwg iddo fe?"

29.

"Noswaith dda a chroeso i bawb," meddai Mr James y Prifathro pan oedd y llywodraethwyr i gyd yn eistedd o gwmpas y bwrdd mawr yn ystafell yr athrawon.

Roedd Cyrnol Meredith yn eistedd wrth ochr y Prifathro.

"Beth ydy'r eitem gyntaf ar yr agenda heno?" gofynnodd y Cyrnol.

"Mr Prothero," atebodd Mr James. "Yr athro sy wedi bod yn dysgu yn yr ysgol dros dro."

"O, Mr Prothero," sylwodd y Cyrnol yn oeraidd. Agorodd e lyfr nodiadau lle'r oedd e wedi cofnodi camgymeriadau'r athro newydd i gyd. "Rwy'n fodlon dweud gair am Mr Prothero," meddai, "achos rydw i wedi dod i nabod yr athro 'na yn dda..."

Er bod Mr Prothero wedi llwyddo i gadw ei enw allan o'r papurau newydd, roedd y Cyrnol wedi clywed sôn am ei ran yn yr arestiad ar y mynydd. Er gwaethaf hynny, roedd yn benderfynol na fyddai'r athro'n cael aros yn yr ysgol. Roedd yn bwriadu mynd ymlaen i feirniadu Mr Prothero yn llym, ond yn sydyn agorwyd drws ystafell yr athrawon a daeth Mrs Hunt i mewn gan gario amlen drwchus.

"Esgusodwch fi," meddai wrth y llywodraethwyr. "Dyma luniau Gŵyl yr Ysgol gafodd eu tynnu gen i ar gais Cyrnol Meredith."

Gosododd yr amlen ar y bwrdd o flaen y Cyrnol, ac agorodd yntau hi'n syn. Roedd e wedi anghofio am y lluniau. Edrychodd ar y llun cyntaf ac yna ar yr ail a'r trydydd. Roedd Mrs Hunt wedi ysgrifennu esboniad bach ar waelod pob un ohonynt.

"Dyma Cyrnol Meredith yn siglo llaw y lleidr enwog, John Fingers Gillard," meddai un.

"Cyrnol Meredith yn prynu hufen iâ i Slippery Sam Langford," meddai'r ail.

"Cyrnol Meredith yn helpu'r lladron i ddianc rhag swyddogion Scotland Yard," meddai'r trydydd.

Aeth wyneb y Cyrnol yn wyn. Byddai'r lluniau'n dinistrio ei enw da am byth.

Trodd Mrs Hunt at y llywodraethwyr eraill a dweud:

"O, gobeithio y byddwn ni'n gallu cadw Mr Prothero yn yr ysgol," meddai hi. "Athro da yw e, yntê, Cyrnol Meredith?"

Yn y cyfamser roedd Cyrnol Meredith yn gwthio'r lluniau i'w boced rhag ofn i rywun arall eu gweld nhw. Yn sydyn sylweddolodd fod Mrs Hunt yn siarad ag ef.

"Beth?" atebodd. "O, Mr Prothero...Ie, Mrs Hunt. Ie, athro da iawn yw Mr Prothero..."

30.

Clywodd Mr Prothero gar y ddirprwy-brifathrawes yn gyrru i fyny'r heol ac yn parcio o flaen clwyd ffrynt y bwthyn. Aeth i agor y drws iddi a synnu o'i gweld yn gwenu o glust i glust.

"Rydych chi wedi cael y swydd, Mr Prothero," meddai'n hapus. "Ac mae Mr James wrth ei fodd."

Roedd rhaid i Mr Prothero eistedd yn y gadair agosaf. Doedd e ddim yn gallu credu ei glustiau. Roedd e wedi bod â'i ben yn ei blu trwy'r dydd.

"Ond sut?" gofynnodd. "Roeddwn i'n meddwl bod dim gobaith 'da fi."

Chwarddodd Mrs Hunt ac aeth ymlaen i ddweud yr holl stori.

"Roedd Cyrnol Meredith yn ofni y byddwn i'n anfon y lluniau i'r papur lleol," meddai hi. "Felly pan ddywedais i wrth y llywodraethwyr taw athro da oeddech chi, doedd e ddim yn gallu anghytuno."

"Wel, wel," sylwodd Mr Prothero gan grafu ei ên. "Hoffech chi gwpanaid o goffi?"

"Hoffwn," atebodd y ddirprwy-brifathrawes. "O, rwy'n teimlo mor hapus, Mr Prothero!"

Ond yna clywson nhw gar yn brecio'n galed ar y ffordd o flaen y bwthyn. Edrychodd Mrs Hunt drwy'r ffenestr ac aeth ei hwyneb yn wyn.

"Cyrnol Meredith...!" meddai hi'n ofnus. "O, mae'n rhaid i fi guddio!"

Ond roedd yn rhy hwyr. Daeth y Cyrnol i mewn i'r tŷ heb aros i guro ar y drws.

"Prothero!" gwaeddodd e. "*Prothero*!"

"Fan yma, yn y lolfa," atebodd yr athro mewn llais gwan. Beth oedd yn mynd i ddigwydd nawr?

Daeth y Cyrnol i mewn i'r lolfa.

"O, Mrs Hunt," meddai. "Doeddwn i ddim yn disgwyl eich gweld chi yma."

Doedd y Cyrnol ddim yn edrych yn grac o gwbl. Eisteddodd ar gadair gyffyrddus gyferbyn â Mr Prothero, a diflannodd Mrs Hunt i'r gegin i wneud y coffi.

"Rydw i wedi bod yn meddwl, Prothero," meddai Cyrnol Meredith yn sydyn.

Syllodd Mr Prothero arno fe.

"Ydych chi, Syr?" meddai.

"Ydw. Mae fy mab wedi dod yn ôl ar ôl ei wyliau, felly rydw i wedi colli cwmni ei bŵdl, Jessica."

"Jessica?" Doedd Mr Prothero ddim yn deall.

"Ie. Roedd y pŵdl yn dod gyda fi pan oeddwn i'n loncian trwy'r cwm, ond nawr rwy'n gorfod rhedeg ar fy mhen fy hun unwaith eto."

"O, mae hynny'n drueni," sylwodd yr athro.

Daeth Mrs Hunt yn ei hôl atynt. Rhoddodd gwpanaid o goffi i'r Cyrnol ac un arall i Mr Prothero.

"Diolch, Mrs Hunt," meddai'r Cyrnol yn gwrtais, ac yna trodd at Mr Prothero.

"Dwi wedi penderfynu sefydlu clwb rhedeg yng Nghwm Alaw," meddai. "Dwi eisiau gweld pobl yn rhedeg mewn grwpiau ac yn cystadlu yn erbyn clybiau eraill ar hyd a lled Cymru."

Roedd llygaid y Cyrnol yn disgleirio erbyn hyn.

"Ac rydw i eisiau eich help chi, Prothero."

"Fy help i, Syr?"

"Ie. Rwy'n chwilio am rywun i fod yn gyfrifol am

adran ieuenctid y clwb. Chi yw'r dyn, Prothero. Ydych chi'n fodlon helpu?"

Roedd Mr Prothero'n dechrau ymlacio. Gallai fentro bod yn hael. Edrychodd ar y Cyrnol a gwenu.

"Ydw, Cyrnol Meredith," atebodd. "Rwy'n fodlon helpu..."

Pan glywodd y Jonesiaid fod Mr Prothero yn mynd i aros yn yr ysgol aethon nhw'n syth i'r bwthyn i'w longyfarch.

"Ond mae'n rhyfedd," meddai Rhiannon wrth yr athro tra oedd y plant a Crockett yn rhannu bisgedi Mr Prothero yn lolfa'r bwthyn.

"Beth sy'n rhyfedd, Rhiannon?" gofynnodd yr athro.

"Wel, fe fyddwch chi'n aros yn yr ysgol gynradd y flwyddyn nesaf, ond fe fydda i ac Alun yn symud i'r ysgol uwchradd."

"Ydy, mae'n drist," cytunodd Alun.

Ond doedd Mr Prothero ddim yn teimlo'n drist. Roedd e'n hoff iawn o'r Jonesiaid, ond roedd rhaid iddo gyfaddef eu bod nhw wedi achosi llawer o drafferth iddo yn ystod y tymor diwethaf.

"O, peidiwch â phoeni," meddai wrthyn nhw. "Rwy'n siŵr y byddwn ni'n dal yn ffrindiau."

"A pheidiwch ag anghofio y bydda i'n aros yn yr ysgol i ofalu amdanoch chi, Syr," meddai Cefyn yn sydyn.

Edrychodd Mr Prothero arno fe ac yna ar y daeargi bach, Crockett. Roedd gan Crockett wên fach ar ei wyneb, ac roedd ei gynffon yn siglo...

Teitlau eraill yng Nghyfres Cled:

Myrddin yr Ail Hilma Lloyd Edwards (Y Lolfa)
Canhwyllau Emily Huws (Gomer)
Modryb Lanaf Lerpwl Meinir Pierce Jones (Gomer)
Pen Cyrliog a Sbectol Sgwâr Gareth F. Williams (Y Lolfa)
Y Sling Emily Huws (Gomer)
'Tisio Bet? Emily Huws (Gomer)
Gwesty'r Llygaid Aflan Ifor Wyn Williams (Hughes)
Cathreulig! M. Potter/Gwenno Hywyn (Gwynedd)
'Tisio Tshipsan? Emily Huws (Gomer)
Nefi Bliwl! C. Sefton/Emily Huws (Gomer)
Tân Gwyllt Pat Neill/Dic Jones (Gomer)
'Tisio Sws? Emily Huws (Gomer)
'Dwisio Dad Emily Huws (Gomer)
'Dwisio Nain Emily Huws (Gomer)
Piwma Tash Emily Huws (Gomer)
Lleuwedd D. Wiseman/Mari Llwyd (Gomer)
Yr Indiad yn y Cwpwrdd L.R. Banks/Euryn Dyfed (Gomer)
Delyth a'r Tai Haf Pat Neill/Dic Jones (Gomer)
Sothach a Sglyfath Angharad Tomos (Y Lolfa)
Madfall ar y Mur Menna Elfyn (Gomer)
Tash Emily Huws (Gomer)
Gags Emily Huws (Gomer)
Jinj Emily Huws (Gomer)
Y Gelyn ar y Trên T. Llew Jones (Gomer)
Dwi'n ♥ 'Sgota Emily Huws (Gomer)
Strach Go-Iawn Emily Huws (Gomer)
Haf y Gwrachod addas. Siân Eleri Jones (Gwynedd)
Craig y Lladron Ioan Kidd (Gomer)
Ydw i'n ♥ Karate? Emily Huws (Gomer)
Tic Toc Emily Huws (Gomer)
Magu Croen Rhag Poen Mair Wynn Hughes (Gomer)
Iechyd Da, Modryb! Meinir Pierce Jones (Gomer)
Dwi Ddim yn ♥ Balwnio Emily Huws (Gomer)
Y Mochyn Defaid Dick King-Smith/Emily Huws (Gomer)
Os Mêts, Mêts Terrance Dicks/Brenda Wyn Jones (Gomer)
Adenydd Dros y Môr Pat Neill/Dic Jones (Gomer)
Lloches Ddirgel Theresa Tomlinson/Sioned Puw Rowlands (Gwynedd)
Yr Argyfwng Mawr Olaf Betsy Byars/Meinir Pierce Jones (Taf)
Mwy nag Aur Meinir Wyn Edwards (Honno)